The Ghost King

The Ghost King

A Story in Traditional Chinese and Pinyin,
1500 Word Vocabulary Level
Includes English Translation

Book 13 of the *Journey to the West* Series

Written by Jeff Pepper
Chinese Translation by Xiao Hui Wang

Based on chapters 36 through 39 of the original Chinese novel
Journey to the West by Wu Cheng'en

IMAGIN8
PRESS

Published in the United States by Imagin8 Press LLC, Verona, Pennsylvania, US. For information, contact us via email at info@imagin8press.com, or visit www.imagin8press.com.

Our books may be purchased directly in quantity at a reduced price, visit our website www.imagin8press.com for details.

Imagin8 Press, the Imagin8 logo and the sail image are all trademarks of Imagin8 Press LLC.

Written by Jeff Pepper
Chinese translation by Xiao Hui Wang
Cover design by Katelyn Pepper and Jeff Pepper
Book design by Jeff Pepper
Artwork by Next Mars Media, Luoyang, China
Audiobook narration by Junyou Chen

Based on the original 16th century Chinese novel by Wu Cheng'en

ISBN: 978-1959043140
Version 10

Acknowledgements

We are deeply indebted to the late Anthony C. Yu for his incredible four-volume translation, *The Journey to the West* (University of Chicago Press, 1983, revised 2012).

We have also referred frequently to another unabridged translation, William J.F. Jenner's *The Journey to the West* (Collinson Fair, 1955; Silk Pagoda, 2005), as well as the original Chinese novel 西遊記 by Wu Cheng'en (People's Literature Publishing House, Beijing, 1955). And we've gathered valuable background material from Jim R. McClanahan's *Journey to the West Research Blog* (www.journeytothewestresearch.com).

And many thanks to the team at Next Mars Media for their terrific illustrations, Jean Agapoff for her careful proofreading, and Junyou Chen for his wonderful audiobook narration.

Audiobook

A complete Chinese language audio version of this book is available free of charge. To access it, go to YouTube.com and search for the Imagin8 Press channel. There you will find free audiobooks for this and all the other books in this series.

You can also visit our website, www.imagin8press.com, to find a direct link to the YouTube audiobook, as well as information about our other books.

Preface

Here's a summary of the events of the first twelve books in the Journey to the West *series. The numbers in brackets indicate in which book in the series the events occur.*

Thousands of years ago, in a magical version of ancient China, a small stone monkey is born on Flower Fruit Mountain. Hatched from a stone egg, he spends his early years playing with other monkeys. They follow a stream to its source and discover a secret room behind a waterfall. This becomes their home, and the stone monkey becomes their king.

After several years the stone monkey begins to worry about the impermanence of life. One of his companions tells him that certain great sages are exempt from the wheel of life and death. The monkey goes in search of these great sages, meets one and studies with him, and receives the name Sun Wukong. He develops remarkable magical powers, and when he returns to Flower Fruit Mountain he uses these powers to save his troop of monkeys from a ravenous monster. *[Book 1]*

With his powers and his confidence increasing, Sun Wukong manages to offend the underwater Dragon King, the Dragon King's mother, all ten Kings of the Underworld, and the great Jade Emperor himself. Finally, goaded by a couple of troublemaking demons, he goes too far, calling himself the Great Sage Equal to Heaven and sets events in motion that cause him some serious trouble. *[Book 2]*

Trying to keep Sun Wukong out of trouble, the Jade Emperor gives him a job in heaven taking care of his Garden of Immortal Peaches, but the monkey cannot stop himself from eating all the peaches. He impersonates a great Immortal and crashes a party in Heaven, stealing the guests' food and drink and barely escaping to his loyal troop of monkeys back on Earth. In the end he battles an entire army of Immortals and men, and discovers that even calling himself the Great Sage Equal to Heaven does not make him equal to everyone in Heaven. As punishment, the Buddha himself imprisons him under a mountain. *[Book 3]*

Five hundred years later, the Buddha decides it is time to bring his wisdom to China, and he needs someone to lead the journey. A young couple undergo a terrible ordeal around the time of the birth of their child Xuanzang. The boy grows up as an orphan but at age eighteen he learns his true identity, avenges the death of his father and is reunited with his mother. Xuanzang will later fulfill the Buddha's wish and lead the journey to the west. *[Book 4]*

Another storyline starts innocently enough, with two good friends chatting as they walk home after eating and drinking at a local inn. One of the men, a fisherman, tells his friend about a fortuneteller who advises him on where to find fish. This seemingly harmless conversation between two minor characters triggers a series of events that eventually cost the life of a supposedly immortal being, and cause the great Tang Emperor himself to be dragged down to the underworld. He is released by the Ten Kings of the Underworld, but is trapped in hell and only escapes with the help of a deceased courtier. *[Book 5]*

Barely making it back to the land of the living, the Emperor selects the young monk Xuanzang to undertake the journey, after being strongly influenced by the great bodhisattva Guanyin. The young monk sets out on his journey. After many difficulties his path crosses that of Sun Wukong, and the monk releases him from his prison under a mountain. Sun Wukong becomes the monk's first disciple. *[Book 6]*

As their journey gets underway, they encounter a mysterious river-dwelling dragon, then run into serious trouble while staying in the temple of a 270-year-old abbot. Their troubles deepen when they meet the abbot's friend, a terrifying black bear monster, and Sun Wukong must defend his master. *[Book 7]*

The monk, now called Tangseng, acquires two more disciples. The first is the pig-man Zhu Bajie, the embodiment of stupidity, laziness, lust and greed. In his previous life, Zhu was the Marshal of the Heavenly Reeds, responsible for the Jade Emperor's entire navy and 80,000 sailors. Unable to control his appetites, he got drunk at a festival and attempted to seduce the Goddess of the Moon. The Jade Emperor banished him to earth, but as he plunged from heaven to earth he ended up in the womb of a sow and was reborn as a man-eating pig monster. He was married to a farmer's daughter, but fights with Sun Wukong and ends up joining becoming the monk's second disciple. *[Book 8]*

Sha Wujing was once the Curtain Raising Captain but was

banished from heaven by the Yellow Emperor for breaking an extremely valuable cup during a drunken visit to the Peach Festival. The travelers meet Sha and he joins them as Tangseng's third and final disciple.

The band of pilgrims arrive at a beautiful home seeking a simple vegetarian meal and a place to stay for the night. What they encounter instead is a lovely and wealthy widow and her three even more lovely daughters. This meeting is, of course, much more than it appears to be, and it turns into a test of commitment and virtue for all of the pilgrims, especially for the lazy and lustful pig-man Zhu Bajie. *[Book 9]*

Heaven continues to put more obstacles in their path. They arrive at a secluded mountain monastery which turns out to be the home of a powerful master Zhenyuan and an ancient and magical ginseng tree. As usual, the travelers' search for a nice hot meal and a place to sleep quickly turns into a disaster. Zhenyuan has gone away for a few days and has left his two youngest disciples in charge. They welcome the travelers, but soon there are misunderstandings, arguments, battles in the sky, and before long the travelers are facing a powerful and extremely angry adversary, as well as mysterious magic fruits and a large frying pan full of hot oil. *[Book 10]*

Next, the monk Tangseng and his band of disciples come upon a strange pagoda in a mountain forest. Inside they discover the fearsome Yellow Robed Monster who is living a quiet life with his wife and their two children. Unfortunately the monster has a bad habit of ambushing and eating travelers. The travelers find themselves drawn into a story of timeless love and complex lies as they battle for survival against the monster and his allies. *[Book 11]*

The travelers arrive at Level Top Mountain and encounter their most powerful adversaries yet: Great King Golden Horn and his younger brother Great King Silver Horn. These two monsters, assisted by their elderly mother and hundreds of well-armed demons, attempt to capture and liquefy Sun Wukong, and eat the Tang monk and his other disciples. Led by Sun Wukong, the travelers desperately battle their foes through a combination of trickery, deception and magic, and barely survive the encounter. *[Book 12]*

Leaving Level Top Mountain, the monk and his disciples resume their journey…

The Ghost King
鬼王

Dì 36 Zhāng

Wǒ qīn'ài de háizi, jīn wǎn wǒ yào gàosù nǐ guānyú Sūn Wùkōng de lìng yí gè gùshi. Wǒmen de gùshi cóng héshang Tángsēng qízhe mǎ xī xíng wǎng Yìndù kāishǐ. Tāde sān gè túdì hé tā zài yìqǐ. Shā Wùjìng dàizhe mǎ, Zhū Bājiè názhe xínglǐ. Sūn Wùkōng zǒu zài qiánmiàn, jiān shàng fàngzhe tāde tiě bàng, zhùyìzhe sì gè fāngxiàng yǒuméiyǒu máfan.

"Túdìmen," Tángsēng shuō, "wèishénme qù xītiān zhème nán? Wǒmen kàndào chūntiān lái lái qù qù yǐjīng yǒu sì, wǔ cì le. Měi cì, chūntiān biànchéng xiàtiān, ránhòu shì qiūtiān, ránhòu shì dōngtiān, ránhòu yòu shì chūntiān. Dànshì wǒmen hái zǒu zài lùshàng. Wǒmen shénme shíhòu cáinéng jiéshù?"

Sūn Wùkōng huídá, "Bié dānxīn, shīfu, lù hěn cháng. Wǒmen cái gānggāng kāishǐ. Yào zhèyàng kàn: Wǒmen hái zài jiālǐ. Tiāndì de suǒyǒu zhǐshì wǒmen jiā zhōng de yì jiān fángjiān. Lántiān shì wǒmen de fáng dǐng, tàiyáng hé yuèliang shì wǒmen de chuāng, shān

第 36 章

我親愛的孩子，今晚我要告訴你關於孫悟空的另一個故事。我們的故事從和尚唐僧騎著馬西行往印度開始。他的三個徒弟和他在一起。沙悟淨帶著馬，豬八戒拿著行李。孫悟空走在前面，肩上放著他的鐵棒，注意著四個方向有沒有麻煩。

"徒弟們，"唐僧說，"為什麼去西天這麼難？我們看到春天來來去去已經有四、五次了。每次，春天變成夏天，然後是秋天，然後是冬天，然後又是春天。但是我們還走在路上。我們什麼時候才能結束？"

孫悟空回答，"別擔心，師父，路很長。我們才剛剛開始。要這樣看：我們還在家裡。天地的所有只是我們家中的一間房間。藍天是我們的房頂，太陽和月亮是我們的窗，山

shì wǒmen fángzi de zhùzi. Wǒmen hái méiyǒu líkāi jiā. Dàn búyào dānxīn, zhǐyào gēnzhe wǒ!"

Tāmen lái dào yí zuò gāo shān. Sūn Wùkōng hěn kuài zǒu shàng shānlù, qítā rén jǐn gēn zài tā de hòumiàn. Tāmen tīngdào láng de shēngyīn, Tángsēng biàn dé hěn hàipà. Sūn Wùkōng kàndào zhè xiào le. "Bié hàipà, shīfu, jìxù wǎng qián zǒu. Dāng wǒmen wánchéng le shàngtiān yào wǒmen zuò de suǒyǒu shìqing shí, wǒmen jiù jiéshù le."

Tāmen yìzhí zǒu dào wǎnshàng. Tāmen kěyǐ kàndào tiānkōng zhōng jǐ qiān kē xīngxīng, yuèliang cóng dōng miàn qǐlái. Tángsēng xiǎng zhǎodào yí gè guòyè de dìfāng. Tā kàndào le jǐ dòng fángzi. "Túdìmen, wǒ kàn dào yí gè dìfāng. Kěnéng shì sìmiào. Wǒmen kěyǐ tíng zài nàlǐ xiūxi."

"Děngděng," Sūn Wùkōng shuō. "Ràng wǒ xiān kàn kàn." Tā tiào dào kōngzhōng, fēi xiàng nàxiē fángzi. Tā kàndào nà zhēnshì yí

是我們房子的柱子。我們還沒有離開家。但不要擔心，只要跟著我！"

他們來到一座高山。孫悟空很快走上山路，其他人緊跟在他的後面。他們聽到狼的聲音，唐僧變得很害怕。孫悟空看到這笑了。"別害怕，師父，繼續往前走。當我們完成了上天要我們做的所有事情時，我們就結束了。"

他們一直走到晚上。他們可以看到天空中幾千顆星星，月亮從東面起來。唐僧想找到一個過夜的地方。他看到了幾棟房子。"徒弟們，我看到一個地方。可能是寺廟。我們可以停在那裡休息。"

"等等，"孫悟空說。"讓我先看看。"他跳到空中，飛向那些房子。他看到那真是一

zuò fó miào. Sìmiào de sìzhōu shì gāo gāo de hóng shí qiáng, yǒu yí shàn dà jīn mén. Tā kàn le qiáng lǐmiàn, kàndào xǔduō héshang. Yìxiē héshang zhèngzài jiāo kè. Háiyǒu yìxiē zài tánzòu yīnyuè, zuò fàn, shāoxiāng huò zhǐshì zài sìzhōu zǒulái zǒuqù. Tā huílái shuō, "Shīfu, zài wǒ kànlái, zhèlǐ méi shì. Wǒmen jīn wǎn kěyǐ zhù zài zhèlǐ."

Tāmen xiàng jīn mén zǒu qù. Dà mén shàngmiàn shì yí kuài zìpái, shàngmiàn dōushì tǔ. Sūn Wùkōng bǎ zìpái dǎsǎo gānjìng, dúdào: "Bǎolín Sì."

"Děng zài zhèlǐ," Tángsēng duì Sūn Wùkōng shuō. "Nǐ shì yì zhī chǒu hóuzi. Rúguǒ nǐ ràng nàxiē héshang gǎndào hàipà, wǒmen jīntiān wǎnshàng jiù méiyǒu dìfāng zhù le." Tā xià le mǎ, bǎ shuāngshǒu fàng zài tā de miànqián, ránhòu mànmàn de zǒu jìn dàmén. Tā de zuǒbiān yǒu yí zuò jīnsè de dà shīzi diāoxiàng, yòubiān yě yǒu yí zuò. Tā zǒuguò dì èr shàn mén, kàndào yí zuò Guānyīn púsà diāo

座佛廟。寺廟的四周是高高的紅石牆，有一扇大金門。他看了牆裡面，看到許多和尚。一些和尚正在教課。還有一些在彈奏[1]音樂，做飯，燒香或只是在四周走來走去。他回來說，"師父，在我看來，這裡沒事。我們今晚可以住在這裡。"

他們向金門走去。大門上面是一塊字牌，上面都是土。孫悟空把字牌打掃乾淨，讀道："寶林寺。"

"等在這裡，"唐僧對孫悟空說。"你是一隻醜猴子。如果你讓那些和尚感到害怕，我們今天晚上就沒有地方住了。"他下了馬，把雙手放在他的面前，然後慢慢地走進大門。他的左邊有一座金色的大獅子雕像[2]，右邊也有一座。他走過第二扇門，看到一座觀音菩薩雕

---

[1] 彈奏　　tán zòu – to play music
[2] 雕像　　diāoxiàng – statue

xiàng. Tā zài bǎ shíwù gěi yú hé qítā hǎilǐ de shēngwù.

Tā xiǎng, "A, kànkan zhèxiē dōu zài niàn fó de shēngwù. Rénmen wèishénme bùnéng zhèyàng zuò ne?"

Dāng tā zài xiǎng zhè jiàn shì shí, yí gè gōngrén cóng dì sān shàn mén zǒu guòlái jiàn tā, shuō, "Shīfu láizì nǎlǐ?"

Tángsēng huídá shuō, "Zhège kělián de héshang láizì Táng wángguó. Táng Huángdì ràng tā qù xīfāng zhǎo fó shū, bǎ shū dài huí gěi Táng Huángdì. Wǒmen zhèngzài fùjìn xíngzǒu, kàndào le nǐmen měilì de sìmiào. Shíjiān yǐjīng wǎn le, suǒyǐ wǒmen qǐng nǐ gěi wǒmen yí gè xiūxi de dìfāng. Wǒmen huì zài zǎoshàng líkāi."

Gōngrén huídá shuō, "Wǒ bùnéng shuō nǐ jīn wǎn kěyǐ háishì bù kěyǐ liú zài zhèlǐ. Wǒ zhǐshì yí gè kělián de gōngrén. Wǒ qù wènwen wǒde zhǔrén." Gōngrén pǎo jìn sìmiào, duì lǎo shīfu shuō, "Xiānshēng, wàimiàn yǒu gè héshang."

Lǎo shīfu kànzhe wàimiàn. Tā kàndào Tángsēng chuānzhe jiù de zāng yī

像。她在把食物給魚和其他海裡的生物。他想，"啊，看看這些都在念佛的生物。人們為什麼不能這樣做呢？"

當他在想這件事時，一個工人從第三扇門走過來見他，說，"師父來自哪裡？"

唐僧回答說，"這個可憐的和尚來自唐王國。唐皇帝讓他去西方找佛書，把書帶回給唐皇帝。我們正在附近行走，看到了你們美麗的寺廟。時間已經晚了，所以我們請你給我們一個休息的地方。我們會在早上離開。"

工人回答說，"我不能說你今晚可以還是不可以留在這裡。我只是一個可憐的工人。我去問問我的主人。"工人跑進寺廟，對老師父說，"先生，外面有個和尚。"

老師父看著外面。他看到唐僧穿著舊的髒衣

fu hé jiǎo shàng de jiù cǎoxié. Lǎo shīfu shēngqì le, duì gōngrén shuō, "Nà búshì héshang, nà zhǐshì yí gè yàofàn de. Wǒ bù xīwàng tā bǎ zāng tǔ dài jìn wǒmen měilì gānjìng de sìmiào. Gàosù tā zǒu kāi!"

Tángsēng tīngdào le, tā méiyǒu děng nàge gōngrén. Tā zhí zǒu jìn sìmiào, duì nàwèi lǎo shīfu shuō, "Duōme de shāngxīn, duōme de shāngxīn. Jiù xiàng rénmen shuō de, 'yí gè líkāi jiā de rén hěn dīxià!' Zhège kělián de héshang hěnjiǔ yǐqián jiù líkāi le jiā, chéngwéi yì míng héshang. Wǒ bù zhīdào wǒ zuò le shénme, ràng nǐ duì wǒ shuō zhèxiē huà. Rúguǒ wǒ gàosù wǒde hóuzi túdì nǐ duì wǒ shuō de huà, tā huì yòng tāde tiě bàng gěi nǐ shàngkè, nǐ búhuì zài wàngjì le."

Nàge héshang zhèng zuò zài tā de zhuōzi qián. Tā táitóu kànzhe Tángsēng shuō, "Nǐ shì shuí, nǐ cóng nǎlǐ lái?"

"Zhège kělián de héshang shì bèi Táng Huángdì sòng qù xītiān, qù zhǎo fó shū, bǎ tāmen dài huílái. Wǒ zhèng lùguò nǐ měilì de

服和腳上的舊草鞋。老師父生氣了，對工人說，"那不是和尚，那隻是一個要飯的。我不希望他把髒土帶進我們美麗乾淨的寺廟。告訴他走開！"

<u>唐僧</u>聽到了，他沒有等那個工人。他直走進寺廟，對那位老師父說，"多麼的傷心，多麼的傷心。就像人們說的，'一個離開家的人很低下！'這個可憐的和尚很久以前就離開了家，成為一名和尚。我不知道我做了什麼，讓你對我說這些話。如果我告訴我的猴子徒弟你對我說的話，他會用他的鐵棒給你上課，你不會再忘記了。"

那個和尚正坐在他的桌子前。他抬頭看著<u>唐僧</u>說，"你是誰，你從哪裡來？"

"這個可憐的和尚是被<u>唐</u>皇帝送去西天，去找佛書，把它們帶回來。我正路過你美麗的

dìfāng. Shíjiān yǐjīng wǎn le, suǒyǐ wǒ xiǎng tíng zài zhèlǐ xiūxi. Wǒ míngtiān zǎoshàng hěn zǎo jiù yào líkāi. Qǐng ràng wǒ jīn wǎn liú xiàlái."

Lǎo shīfu kànzhe Tángsēng, shuō, "Nǐ shì Tángsēng ma?"

"Shì."

"Wǒ tīngshuō guò nǐ. Dànshì, nǐ bùnéng liú zài zhèlǐ. Lí zhèlǐ wǎng xī wǔ lǐ zuǒyòu de dìfāng yǒu yì jiā búcuò de jiǔdiàn. Tāmen nàlǐ yǒu mài chī de dōngxi, háiyǒu chuáng. Xiànzài zǒu kāi."

Tángsēng yǒudiǎn shēngqì. Tā zàicì shuāngshǒu fàng zài yìqǐ, shuō, "Qīn'ài de xiānshēng, gǔrén shuō, héshang kěnéng huì jiàn rènhé fāngzhàng huò dào rènhé de sìmiào, zài nàlǐ qǔ bǎifēnzhī sān de shíwù. Nǐ wèishénme gàosù wǒ zǒu kāi?"

Lǎo shīfu huídá, "Wǒ búhuì ràng yàofàn de rén jìnlái de!

地方。時間已經晚了，所以我想停在這裡休息。我明天早上很早就要離開。請讓我今晚留下來。”

老師父看著<u>唐僧</u>，說，“你是<u>唐僧</u>嗎？”

“是。”

“我聽說過你。但是，你不能留在這裡。離這裡往西五里左右的地方有一家不錯的酒店。他們那裡有賣吃的東西，還有床。現在走開。”

<u>唐僧</u>有點生氣。他再次雙手放在一起，說，“親愛的先生，古[3]人說，和尚可能會見任何方丈或到任何的寺廟，在那裡取百分之[4]三的食物。你為什麼告訴我走開？”

老師父回答，“我不會讓要飯的人進來的！

---

³ 古　　　gǔ – ancient
⁴ 百分之　bǎi fēn zhī – percent

Hěnjiǔ yǐqián, xiàng nǐ zhèyàng de kělián héshang láidào zhèlǐ. Tāmen zuò zài dà mén qián yào chī de dōngxi. Wǒ ràng tāmen jìnlái, gěi tāmen sùshí. Wǒ hái gěi le tāmen měi gè rén xīn yīfu, wǒ qǐng tāmen zhù jǐ tiān. Nǐ zhīdào ma, tāmen zài zhèlǐ zhù le bā nián, zào le hěnduō máfan!"

Xiànzài Tángsēng zhēnde hěn shēngqì. Tā méiyǒu huídá lǎo shīfu, tā zhǐshì zǒu le chūqù. Tā gàosù tāde túdì, lǎo shīfu bú ràng tāmen liú xiàlái. Sūn Wùkōng shuō, "Nǐ zhīdào gǔrén zěnme shuō de, 'dāng rénmen wèi fó zǒu dào yìqǐ shí, tāmen dōushì yìjiārén.' Zhè wèi lǎo shīfu búshì zhēn fótú. Nǐmen děng zài zhèlǐ, wǒ qù kànkan shì zěnme huí shì."

Sūn Wùkōng zǒuguò dì yī shàn mén hé dì èr shàn mén, zhí zǒu dào sìmiào de mén qián. Gōngrén kànjiàn le tā, hàipà jí le. Tā pǎo huí sìmiào, duì nà wèi lǎo shīfu shuō, "Shèng fù, wàimiàn hái yǒu yí wèi héshang. Tā bú xiàng dì yī gè. Tā yǒuzhe dàdà de

很久以前，像你這樣的可憐和尚來到這裡。他們坐在大門前要吃的東西。我讓他們進來，給他們素食。我還給了他們每個人新衣服，我請他們住幾天。你知道嗎，他們在這裡住了八年，造了很多麻煩！"

現在唐僧真的很生氣。他沒有回答老師父，他只是走了出去。他告訴他的徒弟，老師父不讓他們留下來。孫悟空說，"你知道古人怎麼說的，'當人們為佛走到一起時，他們都是一家人。'這位老師父不是真佛徒。你們等在這裡，我去看看是怎麼回事。"

孫悟空走過第一扇門和第二扇門，直走到寺廟的門前。工人看見了他，害怕極了。他跑回寺廟，對那位老師父說，"聖父，外面還有一位和尚。他不像第一個。他有著大大的孫悟空只是用他的鐵棒打門。

Sūn Wùkōng zhǐshì yòng tā de tiě bàng dǎ mén.

Sun Wukong just hit the door with his iron rod.

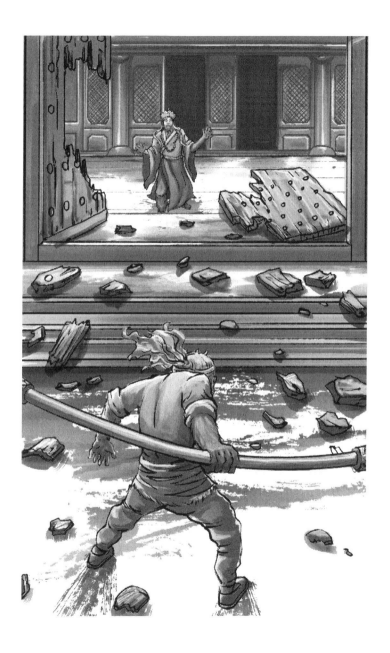

huáng yǎnjīng, jiānjiān de ěrduo, máo liǎn hé xiàng
léishén yíyàng de bízi. Tā shǒu lǐ názhe yì gēn fēicháng
dà de tiě bàng. Wǒ xiǎng tā yào yòng tā dǎ rén!"

Lǎo héshang qǐshēn, zǒu dào wàimiàn qù kànkan shuí
zài nà'er. Tā kàn le Sūn Wùkōng yìyǎn, zhuǎnguò
shēn, pǎo huí lǐmiàn. Tā hěn kuài guānshàng le sìmiào
de mén.

Duì Sūn Wùkōng lái shuō, zhè búshì shénme wèntí. Tā
zhǐshì yòng tāde tiě bàng dǎ mén. Ránhòu tā hǎndào,
"Kuàidiǎn! Wǒ xiǎng xiǎoshuì yíxià. Wǒ xiànzài xūyào
yìqiān gè fángjiān!"

Lǎo shīfu zài fādǒu. Tā duìzhe dà mén xiàng Sūn
Wùkōng dà hǎn, "Gēge, duìbùqǐ, dàn wǒmen de
sìmiào zhǐyǒu sānbǎi gè fángjiān. Wǒmen méiyǒu
rènhé fángjiān gěi nǐ. Qǐng qù biéde dìfāng."

Sūn Wùkōng bǎ tiě bàng dǎ zài dìshàng. Shítou fēi
xiàng tiānkōng. Tā duì nà wèi lǎo shīfu shuō, "Shì
nǐmen gāi zǒu de shíhòu le.

黃眼睛，尖[5]尖的耳朵，毛臉和像雷神一樣的鼻子。他手裡拿著一根非常大的鐵棒。我想他要用它打人！”

老和尚起身，走到外面去看看誰在那兒。他看了孫悟空一眼，轉過身，跑回裡面。他很快關上了寺廟的門。

對孫悟空來說，這不是什麼問題。他只是用他的鐵棒打門。然後他喊道，“快點！我想小睡一下。我現在需要一千個房間！”

老師父在發抖。他對著大門向孫悟空大喊，“哥哥，對不起，但我們的寺廟只有三百個房間。我們沒有任何房間給你。請去別的地方。”

孫悟空把鐵棒打在地上。石頭飛向天空。他對那位老師父說，“是你們該走的時候了。

---

[5] 尖　　jiān – point, tip

Nǐmen suǒyǒu de rén. Xiànzài."

"Dànshì, xiānshēng, zhèlǐ yǒu wǔbǎi míng héshang. Wǒmen cóng niánqīng shí jiù zhù zài zhèlǐ. Wǒmen méiyǒu qítā dìfāng kěyǐ qù."

"Hǎo a. Nà chūlái, wǒ huì yòng tiě bàng dǎ nǐmen."

Lǎo shīfu hé gōngrén bù zhīdào Sūn Wùkōng xiǎng dǎ shuí. Tāmen kāishǐ zhēnglùn shuí yīnggāi chūqù bèi tā dǎ. Tāmen zhēnglùn shí, Sūn Wùkōng kàn le sìzhōu. Tā kàndào yì zhī dà shí shīzi. Tā náqǐ tiě bàng, yòng tā dǎ zài shīzi shēnshàng, bǎ tā biànchéng yì duī shítou. Zhè ràng lǎo shīfu gèngjiā hàipà. "Hǎoba, hǎoba!" tā kūzhe shuō. "Nǐ jīn wǎn kěyǐ liú zài zhèlǐ."

"Hǎo. Jiào suǒyǒu de héshang. Gàosù tāmen dōu lái zhèlǐ huānyíng Tángsēng." Lǎo shīfu gàosù gōngrén qù zhèyàng zuò. Sūn Wù

你們所有的人。現在。"

"但是，先生，這裡有五百名和尚。我們從年輕時就住在這裡。我們沒有其他地方可以去。"

"好啊。那出來，我會用鐵棒打你們。"

老師父和工人不知道孫悟空想打誰。他們開始爭論6誰應該出去被他打。他們爭論時，孫悟空看了四周。他看到一隻大石獅子。他拿起鐵棒，用它打在獅子身上，把它變成一堆7石頭。這讓老師父更加害怕。"好吧，好吧！"他哭著說。"你今晚可以留在這裡。"

"好。叫所有的和尚。告訴他們都來這裡歡迎唐僧。"老師父告訴工人去這樣做。孫悟

---

6 爭論　zhēnglùn – to argue
7 堆　duī – heap, (measure word for piles, problems, clothing)

kōng jiào Tángsēng hé qítā rén, ràng tāmen jìnlái.

Hěnkuài, wǔbǎi míng héshang zhàn zài dàdiàn lǐ.
Tāmen dōu xiàng Tángsēng kòutóu. Zhū Bājiè juédé
zhè hěn hǎowán. Tā duì Tángsēng shuō, "Shīfu, dāng
nǐ zǒu jìn sìmiào yǐhòu, nǐ shì kūzhe chūlái. Dànshì,
dāng lǎo hóuzi zǒu jìnqù yǐhòu, tā chūlái shí yǒu
wǔbǎi míng héshang xiàng tā kòutóu. Zhè shì
wèishénme?"

"Nǐ zhège bèn rén," Tángsēng huídá. "Gǔrén shuō,
'guǐ yě huì pà è rén.' " Tā zhuǎnxiàng kòutóu de
héshangmen shuō, "Wǒde péngyǒumen, qǐng qǐlái."
Tā duì nà wèi lǎo shīfu shuō, "Xièxie nǐ huānyíng
wǒmen lái nǐde jiā. Zhēnde, wǒmen dōushì gēnzhe fó
de xiōngdì."

Lǎo shīfu huídá, "Qǐng yuánliàng wǒmen méiyǒu rèn
chū nǐ shì dà Tángsēng. Wǒmen hěn gāoxìng jiàndào
nǐ. Gàosù wǒ, nǐ wǎnfàn yào chī ròu háishì chī
shūcài?" Tángsēng gàosù tā, tāmen dōushì héshang,
zhǐ chī sùshí shēnghuó. Suǒyǐ, lǎo shīfu gàosù

空叫唐僧和其他人，讓他們進來。

很快，五百名和尚站在大殿裡。他們都向唐僧叩頭。豬八戒覺得這很好玩。他對唐僧說，"師父，當你走進寺廟以後，你是哭著出來。但是，當老猴子走進去以後，他出來時有五百名和尚向他叩頭。這是為什麼？"

"你這個笨人，"唐僧回答。"古人說，'鬼也會怕惡[8]人。'"他轉向叩頭的和尚們說，"我的朋友們，請起來。"他對那位老師父說，"謝謝你歡迎我們來你的家。真的，我們都是跟著佛的兄弟。"

老師父回答，"請原諒我們沒有認出你是大唐僧。我們很高興見到你。告訴我，你晚飯要吃肉還是吃蔬菜？"唐僧告訴他，他們都是和尚，只吃素食生活。所以，老師父告訴

---

[8] 惡　　è – nasty, evil

héshang qù chúfáng wèi kèrén zhǔnbèi wǎnfàn.

Tāmen dōu fēicháng kāixīn de chī le yí dùn hǎochī de
sùshí wǎnfàn, ránhòu tāmen shàngchuáng, zhǔnbèi
xiūxi guòyè. Wǔbǎi míng héshang dōu gēnzhe tāmen.
Tángsēng kànzhe tāmen, shuō, "qǐng huí dào nǐmen
zìjǐ de fángjiān! Wǒmen jīn wǎn bú zài xūyào nǐmen
de bāngzhù le."

Héshangmen líkāi hòu, Tángsēng zǒu dào wàimiàn,
táitóu kàn xiàng tiānkōng. Tiānshàng yǒu gè míngliàng
de dà yuèliang. Tā duì qítā rén shuō,

"Kàn nà tiānkōng zhōng de míngyuè
Tāde guāngliàng zhàoliàng shìjiè de měi gè dìfāng
Tā zhàoliàng le dàdà de sìmiào hé xiǎoxiǎo de
fángzi
Yíwàn lǐ biàn dé míngliàng fēicháng
Tā shì lǜsè tiānkōng zhōng de yì zhī bīnglún
Shì lánsè dàhǎi shàng de yí gè xuěqiú
Yí wèi lǎo xíngrén shuì zài jiǔdiàn zhōng

和尚去廚房為客人準備晚飯。

他們都非常開心地吃了一頓好吃的素食晚飯，然後他們上床，準備休息過夜。五百名和尚都跟著他們。<u>唐僧</u>看著他們，說，"請回到你們自己的房間！我們今晚不再需要你們的幫助了。"

和尚們離開後，<u>唐僧</u>走到外面，抬頭看向天空。天上有個明亮的大月亮。他對其他人說，

　"看那天空中的明月

　她的光亮照亮世界的每個地方

　它照亮了大大的寺廟和小小的房子

　一萬里變得明亮非常

　她是綠色天空中的一隻冰輪

　是藍色大海上的一個雪球

　一位老行人睡在酒店中

Yí wèi lǎorén shuì zài tā shānlǐ de jiāzhōng

Yuèliang jìnlái bǎ hēi fà biàn huī

Bǎ huī fà biàn bái

Tā xiàng báixuě yíyàng zhàoliàng le měi shàn

chuāng

Jīn wǎn lái zhèlǐ jiàn wǒmen."

Tā shuō, "Wǒde péngyǒumen, yìtiān de lǚtú ràng nǐmen dōu gǎndào hěn lèi le. Qù shuìjiào ba. Wǒ yào zài zhèlǐ, jìng xiǎng fójiào."

Sūn Wùkōng wèn tā, "Shīfu, nǐ cóng xiǎo jiù xué fó. Nǐ wèishénme xiànzài xūyào zàicì xuéxí tāmen?"

"Cóng wǒmen líkāi Cháng'ān hòu, wǒmen báitiān hé hēiyè dōu zài lǚtú shàng. Wǒ dānxīn wǒ huì wàngjì wǒ niánqīng shí xué de dōngxi." Sūn Wùkōng diǎndiǎn tóu, tā qù shuì le. Tángsēng zài wàimiàn de míngyuè xià tíngliú le hěn cháng shíjiān.

一位老人睡在他山裡的家中

月亮進來把黑髮變灰

把灰髮變白

她像白雪一樣照亮了每扇窗

今晚來這裡見我們。"

他說，"我的朋友們，一天的旅途讓你們都感到很累了。去睡覺吧。我要在這裡，靜想佛教。"

孫悟空問他，"師父，你從小就學佛。你為什麼現在需要再次學習它們？"

"從我們離開長安後，我們白天和黑夜都在旅途上。我擔心我會忘記我年輕時學的東西。"孫悟空點點頭，他去睡了。唐僧在外面的明月下停留了很長時間。

<u>唐僧</u>看到一個男人站在那兒，身上都是
水。

*Tángsēng kàndào yígè nánrén zhàn zài nà'er,
shēnshàng dōu shì shuǐ.*

*Tangseng saw a man standing there, covered
with water.*

Dì 37 Zhāng

Zuìhòu, zài sān gēng de shíhòu, Tángsēng
shàngchuáng shuìjiào le. Tā lèi le, hěnkuài jiù
shuìzháo le. Tā kāishǐ zuòmèng. Zài tāde mèng zhōng,
tā tīngdào le qíguài de qiángdà de fēngshēng. Tā
tīngzhe fēngshēng. Tā hǎoxiàng zài jiào tā. "Shīfu!"
fēng shuō. Tángsēng kàndào yí gè nánrén zhàn zài
nà'er, shēnshàng dōushì shuǐ, jiù xiàng tā zài dàyǔ
zhōng yíyàng. Nánrén yòu shuō, "Shīfu!"

Zài tāde mèng lǐ, Tángsēng wèn, "Nǐ shì shuí? Nǐ shì lái
zhèlǐ zhǎo máfan de guǐ ma? Wǒ shì yí gè hǎorén, wǒ
shì yí gè héshang. Wǒ hé sān gè túdì zhèngzài qù
xītiān de lùshàng. Tāmen dōu shì wěidà de zhànshì.
Rúguǒ nǐ zhǎo máfan, tāmen huì mǎshàng shāsǐ nǐ.
Xiànzài, zài nǐ hái néng zǒukāi de shíhòu zǒukāi,
búyào lái dào zhè zuò sìmiào de ménkǒu."

"Wǒ búshì guǐ," nàge nánrén shuō. "Kànzhe wǒ!"
Tángsēng rènzhēn de kàn le nàge nánrén. Tā tóu
shàng dàizhe yì dǐng

第 37 章

最後，在三更的時候，<u>唐僧</u>上床睡覺了。他累了，很快就睡著了。他開始做夢。在他的夢中，他聽到了奇怪的強大的風聲。他聽著風聲。它好像在叫他。"師父！"風說。<u>唐僧</u>看到一個男人站在那兒，身上都是水，就像他在大雨中一樣。男人又說，"師父！"

在他的夢裡，<u>唐僧</u>問，"你是誰？你是來這裡找麻煩的鬼嗎？我是一個好人，我是一個和尚。我和三個徒弟正在去西天的路上。他們都是偉大[9]的戰士。如果你找麻煩，他們會馬上殺死你。現在，在你還能走開的時候走開，不要來到這座寺廟的門口。"

"我不是鬼，"那個男人說。"看著我！"<u>唐僧</u>認真地看了那個男人。他頭上戴著一頂

---

[9] 偉大　　wěidà – great

43

chōngtiān mào. Tā chuānzhe yìtiáo shàngmiàn yǒu fēi lóng hóng cháng yī, yòng yì tiáo lǜ dài bǎngzhe. Tāde jiǎo shàng chuānzhe xiù yǒu báiyún de xuēzi. Tāde liǎn xiàng Tài Shān guówáng yíyàng qiángdà. Tángsēng kěyǐ kànchū zhèshì yí wèi wěidà de guówáng.

Tángsēng shēnshēn de jū le yì gōng, shuōdào, "Bìxià, nín zài nínde wángguó lǐ yǒu máfan ma? Huài dàchén xiǎng ná zǒu nínde bǎozuò ma? Zhè jiùshì wèishénme nín zài bànyè lǐ lái dào zhè sìmiào ma?"

Nà rén huídá shuō, "Bù, wǒ hé huài dàchén méiyǒu máfan. Wǒde wángguó zài lí zhèlǐ wǎng xī sìshí lǐ zuǒyòu de dìfāng. Tā jiào Hēi Gōngjī wángguó. Wǔ nián qián, nàlǐ yǒu yì chǎng kěpà de gānhàn. Rénmen méiyǒu shuǐ. Tāmen méiyǒu bànfǎ rang rènhé dōngxi shēngzhǎng, xǔduō rén è sǐ le."

Tángsēng shuō, "Bìxià, gǔrén shuō, 'Wángguó zhèng, tiānguó

沖[10]天帽。他穿著一條上面有飛龍紅長衣，用一條綠帶綁著。他的腳上穿著繡有白雲的靴子[11]。他的臉像泰山國王一樣強大。唐僧可以看出這是一位偉大的國王。

唐僧深深地鞠了一躬，說道，"陛下，您在您的王國裡有麻煩嗎？壞大臣想拿走您的寶座嗎？這就是為什麼您在半夜裡來到這寺廟嗎？"

那人回答說，"不，我和壞大臣沒有麻煩。我的王國在離這裡往西四十里左右的地方。它叫黑公雞王國。五年前，那裡有一場可怕的乾旱[12]。人們沒有水。他們沒有辦法讓任何東西生長，許多人餓死了。"

唐僧說，"陛下，古人說，'王國正，天國

---

10 沖　　chōng – to rush, to rise up. 沖天帽 is a rising-to-heaven hat.
11 靴子　xuēzi – boots
12 乾旱　gānhàn – drought

xiào.' Rúguǒ méiyǒu shíwù, guówáng bìxū dǎkāi kùfáng, bǎ chī de dōngxi gěi rénmen. Dànshì nín méiyǒu, érshì yí gè rén zài zhèlǐ, gěi zhège kělián de héshang jiǎng nínde gùshì. Nín zuò le shénme, ràng tiānguó shēng nín de qì?"

"Wǒ shì xiàng nǐ shuō de nàyàng zuò le. Wǒmen dǎkāi le kùfáng, sòngchū le suǒyǒu de shíwù. Wǒmen méiyǒu qián, suǒyǐ wǒmen tíngzhǐ le gěi dàchén de qián. Wǒ yě è, hé wǒmen wángguó de rénmen gǎndào yíyàng de tòngkǔ. Wǒmen báitiān hé hēiyè dōu xiàng shén qídǎo. Wǒmen zhèyàng zuò le sān nián, dàn háishì méiyǒu xià yǔ. Rénmen zhèngzài sǐqù. Ránhòu yǒu yìtiān, yí wèi dào sēng lái dào wǒmen de wángguó. Tā jiàolái le fēng, fēng dàilái le yǔ. Tā bǎ shítou biànchéng le jīnzi. Rénmen zàiyícì yǒu dōngxi chī, yǒu shuǐ hē. Wǒ hěn gāoxìng, wǒ bǎ tā kànchéng shì wǒde xiōngdì."

"Rúguǒ zhè wèi dào sēng kěyǐ zài tā xiǎng yào de rènhé shíhòu xià

笑。’如果沒有食物，國王必須打開庫房，把吃的東西給人們。但是您沒有，而是一個人在這裡，給這個可憐的和尚講您的故事。

您做了什麼，讓天國生您的氣？”

“我是像你說的那樣做了。我們打開了庫房，送出了所有的食物。我們沒有錢，所以我們停止了給大臣的錢。我也餓，和我們王國的人們感到一樣的痛苦。我們白天和黑夜都向神祈禱[13]。我們這樣做了三年，但還是沒有下雨。人們正在死去。然後有一天，一位道僧來到我們的王國。他叫來了風，風帶來了雨。他把石頭變成了金子。人們再一次有東西吃，有水喝。我很高興，我把他看成是我的兄弟。”

“如果這位道僧可以在他想要的任何時候下

---

yǔ, nàme nínde wángguó yīnggāi hěn yǒu qián, hěn xìngfú. Nín jīn wǎn wèishénme zài zhèlǐ?"

"Shìde, wǒmen de wángguó hěn yǒu qián, hěn xìngfú. Dànshì zài chūntiān lǐ de yìtiān, wǒ hé dào sēng yìqǐ zài huāyuán lǐ zǒulù. Wǒmen lái dào le bā biān jǐng pángbiān. Tūrán, nàge sēngrén bǎ wǒ tuī rù jǐng zhōng. Ránhòu, tā yòng yí kuài dà píng shí gàizhù jǐng. Tā yòng tǔ gài zài jǐng shàng, tā zài jǐng shàng zhòng le yì kē shù! Suǒyǐ, wǒ yǐjīng sǐ le sān nián le."

Tángsēng tīng le zhè huà, ránhòu tā shuō, "Bìxià, nín shuō nín yǐjīng sǐ le sān nián le. Nínde dàchén bù xiǎng nín, bù zhǎo nín ma?"

"Dào sēng bǎ wǒ tuī rù jǐng zhōng hòu, tā jiù biàn le tā de yàngzi, kànqǐlái zhǎng dé hé wǒ yíyàng. Ránhòu suǒyǒu de dōngxi dōu shì tā de le, wǒde wángguó, wǒde jūnduì, wǒ sìbǎi

雨，那麼您的王國應該很有錢，很幸福。您今晚為什麼在這裡？"

"是的，我們的王國很有錢，很幸福。但是在春天裡的一天，我和道僧一起在花園裡走路。我們來到了八邊井旁邊。突然，那個僧人把我推入井中。然後，他用一塊大平石蓋[14]住井。他用土蓋在井上，他在井上種了一棵樹！所以，我已經死了三年了。"

唐僧聽了這話，然後他說，"陛下，您說您已經死了三年了。您的大臣不想您，不找您嗎？"

"道僧把我推入井中後，他就變了他的樣子，看起來長得和我一樣。然後所有的東西都是他的了，我的王國，我的軍隊，我四百

---

14 蓋   gài – to cover

míng dàchén hé wǒde xǔduō qīzi. Zhège rén zhēnde shì móguǐ!"

"Wǒde péngyǒu, wǒ rènwéi nín tài dǎnxiǎo le. Shìde, dàorén dāngrán yǒu mólì. Dànshì, zài nín sǐ le yǐhòu, nín kěyǐ bǎ zhè jiàn shì gàosù dìyù lǐ Yánluó Wáng."

"Wǒ bùnéng nàyàng zuò. Zhège móguǐ shì Yánluó Wáng dàchén de hǎo péngyǒu. Dìyù lǐ de shí gè guówáng shì tāde xiōngdì. Tā hái hé hǎi lóngwáng yìqǐ hējiǔ. Wǒ méiyǒu dìfāng kěyǐ zhǎodào bāngzhù."

"Rúguǒ nín méiyǒu bànfǎ zài hēi'àn de shìjiè zhōng dédào bāngzhù, nín wèishénme yào zài guāngmíng de shìjiè zhōng lái zhǎo wǒ?"

"A, dà Táng sēng, wǒ tīngshuōguò nǐ! Nǐ shì yí wèi dà hǎorén, nǐ dédào Hēi'àn Liùshén, Guāngmíng Liùshén hé xǔduō qítā shén de bǎohù. Gāngcái, yí wèi Hēi'àn Liùshén yòng yí zhèn qí

名大臣和我的許多妻子。這個人真的是魔鬼！"

"我的朋友，我認為您太膽小[15]了。是的，道人當然有魔力。但是，在您死了以後，您可以把這件事告訴地獄裡閻羅王。"

"我不能那樣做。這個魔鬼是閻羅王大臣的好朋友。地獄裡的十個國王是他的兄弟。他還和海龍王一起喝酒。我沒有地方可以找到幫助。"

"如果您沒有辦法在黑暗的世界中得到幫助，您為什麼要在光明的世界中來找我？"

"啊，大唐僧，我聽說過你！你是一位大好人，你得到黑暗六神，光明六神和許多其他神的保護。剛才，一位黑暗六神用一陣[16]奇

---

15 膽小   dǎn xiǎo – timid
16 陣   zhèn – (measure word for short-duration events)

51

guài de fēng bǎ wǒ dài dào zhèlǐ. Tā gàosù wǒ, nǐ yǒu yí gè túdì, hóu wáng, tā hěn qiángdà. Suǒyǐ, wǒ qǐng nǐ lái wǒmen de wángguó, zhuāzhù mó sēng, ràng wǒ zài huí dào bǎozuò shàng!"

"Hǎoba, rúguǒ nín ràng wǒde hóuzi túdì hé móguǐ zhàndòu, zhuā zhù yāoguài, nà huì ràng tā fēicháng gāoxìng. Dàn wǒ pà zhè huì shì yí gè fēicháng nán de gōngzuò."

"Wèishénme?"

"Nín shuō zhège móguǐ kànqǐlái hé nín zhǎng dé yíyàng. Zhè yìsi shì nín wángguó zhōng de měi gè rén dōu rènwéi móguǐ zhēnde shì nín. Rúguǒ wǒde hóuzi túdì zuò yìxiē shānghài móguǐ de shì, nàme nín wángguó de rén huì rènwéi tā shānghài le zhēn guówáng. Tā jiù huì yǒu hěn dà de máfan."

"Nà kěnéng shì zhēnde. Dànshì wǒ érzi, tàizǐ, hái zài gōngdiàn lǐ. Tā bù zhīdào wǒ yǐjīng bèi shāsǐ, móguǐ xiàn

怪的風把我帶到這裡。他告訴我，你有一個
徒弟，猴王，他很強大。所以，我請你來我
們的王國，抓住魔僧，讓我再回到寶座
上！"

"好吧，如果您讓我的猴子徒弟和魔鬼戰
鬥，抓住妖怪，那會讓他非常高興。但我怕
這會是一個非常難的工作。"

"為什麼？"

"您說這個魔鬼看起來和您長得一樣。這意
思是您王國中的每個人都認為魔鬼真的是
您。如果我的猴子徒弟做一些傷害魔鬼的
事，那麼您王國的人會認為他傷害了真國
王。他就會有很大的麻煩。"

"那可能是真的。但是我兒子，太子[17]，還
在宮殿裡。他不知道我已經被殺死，魔鬼現

---

[17] 太子　　　tàizǐ – prince

zài zuò zài bǎozuò shàng, búshì wǒ. Dànshì móguǐ búhuì ràng wǒde érzi hé tāde māma shuōhuà. Tā dānxīn rúguǒ tāmen liǎng gè yìqǐ shuōhuà, tāmen huì zhīdào zhēnxiàng."

"Wǒ zěnme cái néng jiàndào tàizǐ? Wǒ zhǐshì yí gè dī jíbié de xíng sēng."

"Wǒ érzi míngtiān yào líkāi gōngdiàn. Tā dǎsuàn qù dǎliè. Tā yào dài sānqiān rénmǎ. Kěnéng nǐ kěyǐ zài dǎliè de lù zhōng jiàndào tā."

"Tā wèishénme huì xiāngxìn wǒ?" Tángsēng wèn. "Duōnián lái, tā yìzhí xiāngxìn nín hái huózhe. Tā rènwéi tā měitiān dōu zài hé nín shuōhuà."

"Yòng zhège." Guówáng gěi Tángsēng kàn le yí gè báisè de yù diāoxiàng. "Móguǐ bǎ wǒ tuī rù jǐng zhōng yǐhòu, tā ná zǒu le gōngdiàn lǐ de suǒyǒu dōngxi hé wángguó lǐ de suǒyǒu dōngxi. Dànshì tā méiyǒu zhǎodào zhège yù diāoxiàng, yīnwèi dāng tā bǎ wǒ tuī

在坐在寶座上，不是我。但是魔鬼不會讓我的兒子和他的媽媽說話。他擔心如果他們兩個一起說話，他們會知道真相。"

"我怎麼才能見到太子？我只是一個低級別的行僧。"

"我兒子明天要離開宮殿。他打算去打獵[18]。他要帶三千人馬。可能你可以在打獵的路中見到他。"

"他為什麼會相信我？"唐僧問。"多年來，他一直相信您還活著。他認為他每天都在和您說話。"

"用這個。"國王給唐僧看了一個白色的玉雕像。"魔鬼把我推入井中以後，他拿走了宮殿裡的所有東西和王國裡的所有東西。但是他沒有找到這個玉雕像，因為當他把我推

---

[18] 打獵　　dǎliè – to hunt

rù jǐnglǐ shí, tā jiù zài wǒde cháng yī lǐ. Gěi wǒde érzi kàn zhège."

"Hǎoba, wǒ huì zhèyàng zuò de. Qǐng zài zhèlǐ děngzhe."

"Bù, wǒ bùnéng. Wǒ jīn wǎn háiyǒu yí gè gōngzuò yào zuò. Wǒ bìxū qù wánghòu nàlǐ, zài mèng lǐ hé tā shuōhuà." Guǐ wáng líkāi le fángjiān. Tángsēng xiǎng yào gēnzhe tā, dàn Tángsēng dǎo zài dìshàng, tóu dǎ zài dìshàng. Jiù zài zhè fāshēng de shíhòu, tā cóng mèng zhōng xǐng lái.

"Túdì, túdì, kuài lái!" Tā jiàozhe. "Wǒ zuò le yí gè mèng. Wǒ bìxū gàosù nǐmen!"

Sūn Wùkōng zǒu jìn fángjiān. Tā shuō, "Shīfu, nǐ xīnlǐ xiǎng de tài duō le. Zuótiān nǐ dānxīn zài zhè zuò shānshàng yùdào yāoguài. Ránhòu, nǐ dānxīn dào xītiān hái yǒu duō yuǎn. Ránhòu, nǐ xiǎngdào le zài Cháng'ān de jiā. Yīnwéi xīnlǐ xiǎng de tài duō le, nǐ jiù zuòmèng. Kàn wǒ. Wǒ yǒu yì kē ānjìng de xīn, wǒ yìdiǎn mèng dōu bú zuò."

入井裡時，它就在我的長衣裡。給我的兒子看這個。”

“好吧，我會這樣做的。請在這裡等著。”

“不，我不能。我今晚還有一個工作要做。我必須去王後那裡，在夢裡和她說話。”鬼王離開了房間。<u>唐僧</u>想要跟著他，但<u>唐僧</u>倒在地上，頭打在地上。就在這發生的時候，他從夢中醒來。

“徒弟，徒弟，快來！”他叫著。“我做了一個夢。我必須告訴你們！”

<u>孫悟空</u>走進房間。他說，“師父，你心裡想的太多了。昨天你擔心在這座山上遇到妖怪。然後，你擔心到西天還有多遠。然後，你想到了在<u>長安</u>的家。因為心裡想的太多了，你就做夢。看我。我有一顆安靜的心，我一點夢都不做。”

"Bù, zhè búshì mèng dào le jiā, yě búshì kěpà de mèng. Wǒ yùdào le yí gè guǐ wáng." Ránhòu, Tángsēng bǎ zhège mèng gàosù le tāde sān gè túdì. Ránhòu tā kàn le fángjiān sìzhōu, kàndào zài dìshàng de báiyù diāoxiàng. Tā ná qǐ tā, gěi tāde sān gè túdì kàn. "Zhè shì guówáng zài mèng lǐ gěi wǒ de diāoxiàng!"

Sūn Wùkōng xiàozhe shuō, "Kànlái zhè wèi guǐ wáng xiǎng ràng wǒ wán dé kāixīn. Rúguǒ bǎozuò shàng shì ge móguǐ, wǒde tiě bàng huì jiějué tā de!" Ránhòu hóuzi cóng tóu shàng bá le yì gēn tóufà, chuī le yíxià. Tā mǎshàng biànchéng le yì zhī hóngsè xiǎo mù hé. Sūn Wùkōng bǎ yù diāoxiàng fàng zài hézi lǐ. "Shīfu, qù dàdiàn lǐ zuò. Bǎ hézi ná zài shǒu lǐ. Děng wǒ. Wǒ huì bǎ tàizǐ dài lái gěi nǐ. Tā dàolái shí, bǎ hézi dǎkāi yì diǎndiǎn. Wǒ huì ràng zìjǐ biàn dé zhǐyǒu liǎng cùn gāo, ránhòu tiào jìn hézi lǐ. Búyào zhàn qǐlái, gèng búyào kàn tā. Zhè huì ràng tā shēngqì, tā huì ràng rén bǎ nǐ zhuā qù."

"Shénme?" Tángsēng kū le. "Nàme huì fāshēng shén

"不，這不是夢到了家，也不是可怕的夢。我遇到了一個鬼王。"然後，<u>唐僧</u>把這個夢告訴了他的三個徒弟。然後他看了房間四周，看到在地上的白玉雕像。他拿起它，給他的三個徒弟看。"這是國王在夢裡給我的雕像！"

<u>孫悟空</u>笑著說，"看來這位鬼王想讓我玩得開心。如果寶座上是個魔鬼，我的鐵棒會解決他的！"然後猴子從頭上拔了一根頭髮，吹了一下。它馬上變成了一隻紅色小木盒。<u>孫悟空</u>把玉雕像放在盒子裡。"師父，去大殿裡坐。把盒子拿在手裡。等我。我會把太子帶來給你。他到來時，把盒子打開一點點。我會讓自己變得只有兩寸高，然後跳進盒子裡。不要站起來，更不要看他。這會讓他生氣，他會讓人把你抓去。"

"什麼？"<u>唐僧</u>哭了。"那麼會發生什

me?"

"Búyòng dānxīn, wǒ huì zài nàlǐ bǎohù nǐ. Gàosù tā, nǐ shì qù wǎng xītiān de héshang, zhè dāngrán shì zhēnde. Gàosù tā, zhège hézi lǐ yǒu yí gè bǎobèi. Bǎobèi zhīdào guòqù wǔbǎi nián, xiànzài wǔbǎi nián hé wèilái wǔbǎi nián de měi jiàn shì. Ránhòu wǒ huì chūlái, gàosù tàizǐ nǐ mèng lǐ tīngdào de suǒyǒu shìqing. Tàizǐ huì xiāngxìn wǒ de. Ránhòu wǒ kěyǐ qù gōngdiàn, shāsǐ móguǐ."

Tángsēng rènwéi zhèshì yí gè hǎo de jìhuà. Dì èr tiān zǎoshang, Sūn Wùkōng tiào rù kōngzhōng, fēi le sìshí lǐ dào chéng lǐ. Tā kàndào tā bèi hēi wù gàizhe. "Zhēnde, rúguǒ zhēn guówáng zuò zài bǎozuò shàng, zhè zuò chéngshì huì shì yí piàn guāngmíng. Dànshì xiànzài yí gè móguǐ zuò zài bǎozuò shàng, suǒyǐ zhè zuò chéngshì dāngrán bèi hēi wù gàizhe."

麼？"

"不用擔心，我會在那裡保護你。告訴他，你是去往西天的和尚，這當然是真的。告訴他，這個盒子裡有一個寶貝。寶貝知道過去五百年，現在五百年和未來五百年的每件事。然後我會出來，告訴太子你夢裡聽到的所有事情。太子會相信我的。然後我可以去宮殿，殺死魔鬼。"

<u>唐僧</u>認為這是一個好的計劃[19]。第二天早上，<u>孫悟空</u>跳入空中，飛了四十里到城裡。他看到它被黑霧[20]蓋著。"真的，如果真國王坐在寶座上，這座城市會是一片光明。但是現在一個魔鬼坐在寶座上，所以這座城市當然被黑霧蓋著。"

---

[19] 計劃　jìhuà – plan
[20] 霧　　wù – fog

他看到城裡被黑霧蓋著。

Tā kàn dào chéng lǐ bèi hēi wù gàizhe.

He saw the city covered by black fog.

Dāng tā kànzhe zhè zuò chéngshì shí, dōng dà mén dǎkāi, sānqiān rénmǎ zǒu le chūlái. Tāmen hěn kuài dào le lí sìmiào èrshí lǐ zuǒyòu de dàotián. Miànqián shì yí gè gāodà piàoliang de niánqīng rén, shǒu lǐ názhe lánsè de gāng jiàn. Sūn Wùkōng rènchū zhè shì tàizǐ. "Ràng wǒ hé tā wányìwán," tā zìjǐ xiǎngzhe.

Sūn Wùkōng biànchéng yì zhī xiǎo bái tù. Tā pǎo zài tàizǐ de mǎ qián. Tàizǐ gāoxìng de dà hǎn, yòng jiàn shè tùzi. Tā méiyǒu kàndào zài jiàn shè xiàng Sūn Wùkōng de shēntǐ qián, Sūn Wùkōng jiù zhuāzhù le jiàn, suǒyǐ tùzi méiyǒu shòushāng. Tùzi xiàng sìmiào pǎo qù. Tàizǐ gēnzhe. Dāng tùzi lái dào sìmiào shí, tā pǎo le jìnqù, biàn huí le Sūn Wùkōng de hóuzi yàngzi. "Shīfu, tàizǐ lái le!" Sūn Wùkōng dà hǎn.

Tàizǐ dào le, tā cóng mǎshàng tiào xiàlái, jìn le sìmiào de dàdiàn. Bùjiǔ, sānqiān míng qízhe mǎ de rén yě dào le, tāmen zhōng xǔduō rén yě jìn le dàdiàn. Zài dàdiàn de lìng yìtóu, wǔ

當他看著這座城市時，東大門打開，三千人馬走了出來。他們很快到了離寺廟二十里左右的稻田[21]。面前是一個高大漂亮的年輕人，手裡拿著藍色的鋼劍。孫悟空認出這是太子。"讓我和他玩一玩，"他自己想著。

孫悟空變成一隻小白兔[22]。他跑在太子的馬前。太子高興地大喊，用箭射[23]兔子。他沒有看到在箭射向孫悟空的身體前，孫悟空就抓住了箭，所以兔子沒有受傷。兔子向寺廟跑去。太子跟著。當兔子來到寺廟時，它跑了進去，變回了孫悟空的猴子樣子。"師父，太子來了！"孫悟空大喊。

太子到了，他從馬上跳下來，進了寺廟的大殿。不久，三千名騎著馬的人也到了，他們中許多人也進了大殿。在大殿的另一頭，五

---

21 稻田　　dàotián – rice paddy
22 兔　　　tù – rabbit
23 射　　　shè – to shoot

bǎi míng héshang jìnlái, xiàng tàizǐ kòutóu. Tàizǐ kàn le sìzhōu. Tā zài dàdiàn lǐ kàndào le měilì de huà. Ránhòu tā kànjiàn yí gè héshang zuò zài dàdiàn zhōngjiān. Héshang méiyǒu qǐlái, yě méiyǒu xiàng tàizǐ jūgōng.

Tàizǐ hěn shēngqì. "Zhuāzhù tā!" tā jiàozhe. Tàizǐ de rén yào zhuā Tángsēng. Dànshì, duǒ zài hézi lǐ de Sūn Wùkōng yòng le yí gè mó yǔ, hǎoxiàng yì dǔ shí qiáng yíyàng bǎohùzhe Tángsēng, suǒyǐ zhèxiē rén méiyǒu bànfǎ pèngdào tā. Tàizǐ shuō, "Héshang, nǐ shì shuí, yòng mófǎ lái duì wǒ?"

Tángsēng huídá shuō, "Xiānshēng, wǒ zhǐshì Táng dìguó de yí gè kělián de héshang. Wǒ zhèng qiánwǎng xītiān zhǎo fó shū, bǎ tāmen dài gěi wǒde huángdì. Dànshì wǒ rènshi nǐ. Nǐ méiyǒu zūnjìng nǐde bàba."

"Shénme?" tàizǐ jiàozhe. "Wǒ dāngrán hěn zūnjìng wǒ de

百名和尚進來，向太子叩頭。太子看了四周。他在大殿裡看到了美麗的畫。然後他看見一個和尚坐在大殿中間。和尚沒有起來，也沒有向太子鞠躬。

太子很生氣。"抓住他！"他叫著。太子的人要抓唐僧。但是，躲在盒子裡的孫悟空用了一個魔語，好像一堵²⁴石牆一樣保護著唐僧，所以這些人沒有辦法碰²⁵到他。太子說，"和尚，你是誰，用魔法來對我？"

唐僧回答說，"先生，我只是唐帝國的一個可憐的和尚。我正前往西天找佛書，把它們帶給我的皇帝。但是我認識你。你沒有尊敬²⁶你的爸爸。"

"什麼？"太子叫著。"我當然很尊敬我的

---

²⁴ 堵　　dǔ – (measure word for walls)
²⁵ 碰　　pèng – to touch
²⁶ 尊敬　　zūnjìng – to honor

bàba. Wǒ měitiān dōu jiàn tā, wǒ zhào tā shuō de qù
zuò."

"Wěidà de tàizǐ, qǐng kàn zhège hóng hézi de lǐmiàn.
Nǐ huì fāxiàn yí gè bǎobèi. Zhège bǎobèi kěyǐ kàndào
guòqù de wǔbǎi nián, xiànzài de wǔbǎi nián hé wèilái
de wǔbǎi nián. Zhège bǎobèi zhīdào nǐ méiyǒu zūnjìng
nǐde bàba." Ránhòu Tángsēng dǎkāi hézi. Sūn
Wùkōng tiào le chūlái, cóng liǎng cùn gāo zhǎng dào
tā běnlái de shēnggāo.

Tàizǐ duì tā shuō, "Zhè wèi lǎo héshang shuō, nǐ
zhīdào guòqù, xiànzài hé wèilái. Gàosù wǒ zhēn huà:
Wǒ yǒu méiyǒu zūnjìng wǒde bàba?"

Sūn Wùkōng huídá shuō, "Diànxià, nǐ shì Hēi Gōngjī
wángguó lǐ guówáng de érzi. Nǐ kěnéng hái jìdé,
nǐmen de wángguó yǐjīng jǐ nián méiyǒu xià yǔ le.
Rénmen méiyǒu shuǐ, yě méiyǒu chī de dōngxi.
Ránhòu lái le yí wèi dào sēng. Tā dài lái le yǔ, rénmen
yòu kěyǐ yǒu dōngxi chī le. Nà wèi sēngrén hé nǐ bàba
chéngwéi xiōngdì."

爸爸。我每天都見他，我照他說的去做。”

“偉大的太子，請看這個紅盒子的裡面。你會發現一個寶貝。這個寶貝可以看到過去的五百年，現在的五百年和未來的五百年。這個寶貝知道你沒有尊敬你的爸爸。”然後<u>唐僧</u>打開盒子。<u>孫悟空</u>跳了出來，從兩寸高長到他本來的身高。

太子對他說，“這位老和尚說，你知道過去、現在和未來。告訴我真話：我有沒有尊敬我的爸爸？”

<u>孫悟空</u>回答說，“殿下²⁷，你是<u>黑公雞</u>王國裡國王的兒子。你可能還記得，你們的王國已經幾年沒有下雨了。人們沒有水，也沒有吃的東西。然後來了一位道僧。他帶來了雨，人們又可以有東西吃了。那位僧人和你爸爸成為兄弟。”

---

²⁷ 殿下　　diànxià – Your Highness

"Shìde, wǒ zhīdào zhège. Zěnmele?"

"Wǒ huì gàosù nǐ, dàn zhè shì yí gè mìmi. Biéde rén bùnéng tīng zhège." Suǒyǐ tàizǐ ràng tāde sānqiān rén líkāi dàdiàn. Tángsēng ràng wǔbǎi míng héshang líkāi. Xiànzài zhǐyǒu tāmen sān gè zài dàdiàn lǐ.

Sūn Wùkōng jìxù shuō, "Diànxià, dào sēng zhēnshì yí gè móguǐ. Sān nián qián tā shā le nǐ bàba. Ránhòu, tā biànchéng le nǐ bàba de yàngzi, chéngwéi nǐmen guótǔ shàng de guówáng. Tā bùnéng tóng yí gè shíjiān zài liǎng gè shēntǐ zhōng, suǒyǐ tā gàosù nǐ, dào sēng yǐjīng huí dào tā lái de shānshàng. Dàn zhè búshì zhēn de. Zuò zài bǎozuò shàng de rén búshì nǐde bàba. Shì nàge móguǐ!"

"Nà bù kěnéng shì zhēnde," tàizǐ shuō. "Rúguǒ wǒmen de guówáng shì yí gè móguǐ, nà duì wǒmen lái shuō shìqing huì shì fēicháng bùhǎo. Dànshì zuìjìn jǐ nián, wǒmen de wángguó yìzhí hěn xìngfú. Wǒmen yǒu hěnduō yǔ, yǒu hěnduō shíwù, méiyǒu

"是的，我知道這個。怎麼了？"

"我會告訴你，但這是一個秘密。別的人不能聽這個。"所以太子讓他的三千人離開大殿。唐僧讓五百名和尚離開。現在只有他們三個在大殿裡。

孫悟空繼續說，"殿下，道僧真是一個魔鬼。三年前他殺了你爸爸。然後，他變成了你爸爸的樣子，成為你們國土上的國王。他不能同一個時間在兩個身體中，所以他告訴你，道僧已經回到他來的山上。但這不是真的。坐在寶座上的人不是你的爸爸。是那個魔鬼！"

"那不可能是真的，"太子說。"如果我們的國王是一個魔鬼，那對我們來說事情會是非常不好。但是最近幾年，我們的王國一直很幸福。我們有很多雨，有很多食物，沒有

zhànzhēng. Nǐ cuò le. Dào sēng zǒu le, wǒ bàba zài bǎozuò shàng, wǒmen de wángguó yíqiè dōu hǎo."

Sūn Wùkōng zhuǎnxiàng Tángsēng shuō, "Kàn, tā bù xiāngxìn wǒ. Gěi tā kànkan bǎobèi." Tángsēng ná chū yù diāoxiàng gěi tàizǐ kàn.

"Xiǎotōu! Xiǎotōu!" tàizǐ kū jiàozhe. "Nǐ tōu le zhè zūn diāoxiàng, xiànzài, dāng nǐ zài shuō guānyú wǒ bàba de huǎnghuà shí, nǐ xiǎng bǎ tā huán gěi wǒ. Yīnwèi nǐ zuò de shì, wǒ yào ràng rén bǎ nǐ zhuā qǐlái shā le!"

Tángsēng biàn dé fēicháng hàipà. Tā zhuǎnxiàng Sūn Wùkōng shuō, "Hóuzi, kànkan nǐ zàochéng de máfan. Zuò diǎn shénme!"

Sūn Wùkōng shuō, "Diànxià, wǒ jiào Sūn Wùkōng. Wǒ shì Tángsēng de dà túdì. Wǒmen zuótiān zài qù wǎng xīfāng de lùshàng. Tiān wǎn le, suǒyǐ wǒmen zài zhè zuò sìmiào tíng xiàlái guòyè. Wǎnshàng, wǒde shīfu zài mèng zhōng jiàndào le nǐde bàba. Nǐde

戰爭[28]。你錯了。道僧走了，我爸爸在寶座上，我們的王國一切都好。”

孫悟空轉向唐僧說，“看，他不相信我。給他看看寶貝。”唐僧拿出玉雕像給太子看。

“小偷！小偷！”太子哭叫著。“你偷了這尊[29]雕像，現在，當你在說關於我爸爸的謊[30]話時，你想把它還給我。因為你做的事，我要讓人把你抓起來殺了！”

唐僧變得非常害怕。他轉向孫悟空說，“猴子，看看你造成的麻煩。做點什麼！”

孫悟空說，“殿下，我叫孫悟空。我是唐僧的大徒弟。我們昨天在去往西方的路上。天晚了，所以我們在這座寺廟停下來過夜。晚上，我的師父在夢中見到了你的爸爸。你的

---

[28] 戰爭　　zhànzhēng – war
[29] 尊　　　zūn – (measure word for gods, goddesses, statues, cannons)
[30] 謊　　　huǎng – to lie

73

bàba gàosù wǒde shīfu, nàge dào sēng shāsǐ le tā, bǎ tā rēng jìn jǐng zhōng. Ránhòu dào sēng bǎ tāde yàngzi biànchéng le kànqǐlái xiàng nǐde bàba. Tā dédào le bǎozuò, yǐjīng zuò le sān nián de guówáng. Móguǐ hàipà nǐ māma kànchū tā hé nǐ zhēn bàba de bùtóng. Suǒyǐ, tā búhuì ràng nǐ jiàn nǐde māma. Tā dānxīn nǐmen liǎng gè huì tán zhège wèntí, ránhòu zhīdào zhēnxiàng."

Tàizǐ bù zhīdào yīnggāi zěnme xiǎng. Tā zhàn zài nà'er, zhǐshì xiǎngzhe Sūn Wùkōng de huà.

Sūn Wùkōng shuō, "Diànxià, wǒ zhīdào zhèlǐ yǒu hěnduō shìqing yào qù xiǎng. Dàn zhè dōu shì zhēn de. Nǐ kěyǐ zìjǐ zhǎodào zhēnxiàng. Bǎ nǐde sānqiān rén liú zài zhèlǐ. Ānjìng de huí dào gōngdiàn. Zǒu púrén zǒu de hòumén, zhǎodào nǐde māma. Gēn tā tán!"

爸爸告訴我的師父，那個道僧殺死了他，把他扔進井中。然後道僧把他的樣子變成了看起來像你的爸爸。他得到了寶座，已經做了三年的國王。魔鬼害怕你媽媽看出他和你真爸爸的不同。所以，他不會讓你見你的媽媽。他擔心你們兩個會談這個問題，然後知道真相。"

太子不知道應該怎麼想。他站在那兒，只是想著孫悟空的話。

孫悟空說，"殿下，我知道這裡有很多事情要去想。但這都是真的。你可以自己找到真相。把你的三千人留在這裡。安靜地回到宮殿。走僕人走的後門，找到你的媽媽。跟她談！"

Dì 38 Zhāng

Tàizǐ zhào Sūn Wùkōng gàosù tā de nàyàng zuò. Tā gàosù tāde sānqiān rén zài sìmiào lǐ děngzhe. Ránhòu, tā qízhe tāde mǎ, hěn kuài huí dào le gōngdiàn, jīngguò púrén zǒu de mén jìn qù, hěn kuài zhǎodào le tāde māma. Wánghòu zuò zài huāyuán lǐ kū. Tā xiǎngqǐ le qián yì tiān wǎnshàng yí gè zhòngyào de mèng, dàn tā zhǐ jìdé qiánbàn gè mèng. Dāng tā kàndào érzi dàolái shí, xiàng tā pǎo qù. "A, wǒde érzi, hěn gāoxìng jiàndào nǐ! Yǐjīng yǒu hěnduō nián le." Tā kàndào tā bù kāixīn, shuō, "Nǐ wèishénme bù kāixīn? Nǐde shēnghuó hěn hǎo. Zài wèilái de yí rì, nǐ de bàba huì huí dào tiānshàng, nǐ huì zuò zài bǎozuò shàng. Nǐ zěnme néng bù kāixīn ne?"

"Māma, wǒ bìxū wèn nǐ yí gè wèntí. Shuí zuò zài bǎozuò shàng?"

"Wǒde érzi, nǐ fēng le ma? Dāngrán shì nǐ bàba."

第 38 章

太子照<u>孫悟空</u>告訴他的那樣做。他告訴他的
三千人在寺廟裡等著。然後，他騎著他的
馬，很快回到了宮殿，經過僕人走的門進
去，很快找到了他的媽媽。王後坐在花園裡
哭。她想起了前一天晚上一個重要的夢，但
她只記得前半個夢。當她看到兒子到來時，
向他跑去。"啊，我的兒子，很高興見到
你！已經有很多年了。"她看到他不開心，
說，"你為什麼不開心？你的生活很好。在
未來的一日，你的爸爸會回到天上，你會坐
在寶座上。你怎麼能不開心呢？"

"媽媽，我必須問你一個問題。誰坐在寶座
上？"

"我的兒子，你瘋了嗎？當然是你爸爸。"

"Māma, wǒ bìxū wèn nǐ lìng yí gè gèng nán de wèntí.
Zài guòqù de jǐ nián zhōng, nǐde zhàngfu hé jǐ nián
qián yǒu shénme bùtóng?"

"Méiyǒu, tā hé yǐqián yíyàng."

"Māma, dāng nǐ hé tā zài chuángshàng shí, suǒyǒu
dōu hé yǐqián yíyàng ma?"

Wánghòu dītóu kànzhe dìshàng. Tā jìngjìng de shuō,
"Hǎoba, sān nián qián, tā dōu shì ài hé wēnnuǎn.
Dànshì zài guòqù de sān nián zhōng, tā yìzhí xiàng
bīng yíyàng lěng. Wǒ shìzhe qǐng tā bǎ tāde ài gěi wǒ,
dàn tā zhǐshì shuō tā lǎo le, bùnéng zài zuò zhè le."

Tàizǐ tiào le qǐlái, qí shàng mǎ. Tā shuō, "Māma, wǒ
bìxū zǒu le. Jīntiān zǎo xiē shíhòu, wǒ chūqù dǎliè, yù
dào le yí wèi xíng sēng hé tāde túdì. Tāmen gàosù wǒ,
zuò

"媽媽，我必須問你另一個更難的問題。在過去的幾年中，你的丈夫和幾年前有什麼不同？"

"沒有，他和以前一樣。"

"媽媽，當你和他在床上時，所有都和以前一樣嗎？"

王後低頭看著地上。她靜靜地說，"好吧，三年前，他都是愛和溫暖[31]。但是在過去的三年中，他一直像冰一樣冷。我試著請他把他的愛給我，但他只是說他老了，不能再做這了。"

太子跳了起來，騎上馬。他說，"媽媽，我必須走了。今天早些時候，我出去打獵，遇到了一位行僧和他的徒弟。他們告訴我，坐

---

[31] 溫暖　　wēnnuǎn – warm

zài bǎozuò shàng de nàge rén búshì wǒ bàba, ér shì yí gè móguǐ. Wǒ bù xiāngxìn tāmen, dàn xiànzài wǒ xiāngxìn le!"

"Wǒde érzi, nǐ zěnme néng xiāngxìn zhèxiē rén de huà? Nǐ jīntiān cái jiàndào tāmen!"

"Tāmen gěi le wǒ zhège." Tā bǎ nà kuài báiyù diāoxiàng ná gěi tā.

Wánghòu kàndào diāoxiàng, kāishǐ kū le. Tā xiǎngqǐ le xià bàn ge mèng. Tā shuō, "Wǒde érzi, zuówǎn wǒ zài mèng zhōng jiàndào nǐ bàba. Tā shēnshàng dōu shì shuǐ. Tā gàosù wǒ tā yǐjīng sǐ le, dào sēng bǎ tā rēng xià le jǐng. Tā shuō yǒu yí gè xíng sēng kěyǐ bāngzhù wǒmen. Wǒde érzi, nǐ bìxū qù nàge sēngrén nàlǐ, mǎshàng dédào tāde bāngzhù!"

Tàizǐ qízhe tāde mǎ, huí dào sìmiào. Tā xiàmǎ, zǒu jìn dàdiàn. Tā kàndào Sūn Wùkōng hé Tángsēng. Tā gàosù tāmen suǒyǒu fāshēng de shìqing. Sūn Wùkōng shuō, "A, rúguǒ mówáng zài chuángshàng bīnglěng, tā kěnéng shì nà zhǒng lěngxuě shēngwù. Búyòng

在寶座上的那個人不是我爸爸，而是一個魔鬼。我不相信他們，但現在我相信了！”

“我的兒子，你怎麼能相信這些人的話？你今天才見到他們！”

“他們給了我這個。”他把那塊白玉雕像拿給她。

王後看到雕像，開始哭了。她想起了下半個夢。她說，“我的兒子，昨晚我在夢中見到你爸爸。他身上都是水。他告訴我他已經死了，道僧把他扔下了井。他說有一個行僧可以幫助我們。我的兒子，你必須去那個僧人那裡，馬上得到他的幫助！”

太子騎著他的馬，回到寺廟。他下馬，走進大殿。他看到孫悟空和唐僧。他告訴他們所有發生的事情。孫悟空說，“啊，如果魔王在床上冰冷，他可能是那種冷血生物。不用

dānxīn, wǒ huì jiějué zhège móguǐ de. Wǒ míngtiān jiù zuò. Xiànzài, huí dào gōngdiàn, děngzhe wǒ."

"Wǒ xiànzài bùnéng huíqù. Wǒ dàizhe sānqiān rén líkāi gōngdiàn qù dǎliè. Wǒ zěnme néng bú dài ròu huíqù ne?"

Sūn Wùkōng fēi shàng tiānkōng, jiào lái tǔdì shén hé shān shén. Tā gàosù tāmen, tā xūyào tāmen bǎ jǐ bǎi zhǐ dòngwù fàng zài lù biān. Tǔdì shén hé shān shén zuò le ràng tāmen zuò de shì. Sūn Wùkōng huí dào sìmiào, gàosù tàizǐ, "Diànxià, nǐ kěyǐ huíqù le. Nǐ huì zài lù biān fāxiàn hěnduō dòngwù. Nǐ kěyǐ bǎ tāmen zhuā le dài huí gōngdiàn."

Tàizǐ xiàng Sūn Wùkōng kòutóu. Ránhòu tā zǒuchū sìmiào, gàosù shìbīngmen, dǎliè yǐjīng jiéshù, shì huí gōngdiàn de shíhòu le. Dāng tāmen zǒu zài lùshàng shí, tāmen kàndào dìshàng de dòngwù, bǎ tāmen dōu zhuā le qǐlái. Ránhòu tāmen huí dào le gōng

擔心，我會解決這個魔鬼的。我明天就做。現在，回到宮殿，等著我。"

"我現在不能回去。我帶著三千人離開宮殿去打獵。我怎麼能不帶肉回去呢？"

孫悟空飛上天空，叫來土地神和山神。他告訴他們，他需要他們把幾百隻動物放在路邊。土地神和山神做了讓他們做的事。孫悟空回到寺廟，告訴太子，"殿下，你可以回去了。你會在路邊發現很多動物。你可以把它們抓了帶回宮殿。"

太子向孫悟空叩頭。然後他走出寺廟，告訴士兵[32]們，打獵已經結束，是回宮殿的時候了。當他們走在路上時，他們看到地上的動物，把它們都抓了起來。然後他們回到了宮

---

[32] 士兵　　shìbīng – soldier

diàn.

Nàtiān wǎnshàng, Sūn Wùkōng zài tāde chuángshàng xiūxi. Tūrán tā tiào qǐlái, pǎo guòqù jiàoxǐng Tángsēng. "Shīfu, xǐngxǐng!"

"Zěnmele," Tángsēng wèn.

"Wǒmen yǒu yí gè wèntí. Dāngrán, wǒmen kěyǐ huí dào gōngdiàn qù zhuāzhù nàge mówáng, gèng kěyǐ shāsǐ tā. Dànshì rúguǒ wǒmen shuō móguǐ shāsǐ le zhēn guówáng, méiyǒu rén huì xiāngxìn wǒmen. Wǒmen bìxū huí dào nà kǒu jǐng, zhǎodào zhēn guówáng de shītǐ."

"Hǎo zhǔyì. Qù zhǎo Zhū Bājiè bāng nǐ."

Sūn Wùkōng zǒu dào Zhū de chuáng biān. "Xǐngxǐng! Xǐngxǐng!" Tā zài Zhū de ěr biān dà hǎn.

"Ràng wǒ shuìjiào," Zhū shuō. "Wǒmen míngtiān hái yào zǒulù."

殿。

那天晚上，<u>孫悟空</u>在他的床上休息。突然他跳起來，跑過去叫醒<u>唐僧</u>。「師父，醒醒！」

「怎麼了，」<u>唐僧</u>問。

「我們有一個問題。當然，我們可以回到宮殿去抓住那個魔王，更可以殺死他。但是如果我們說魔鬼殺死了真國王，沒有人會相信我們。我們必須回到那口井，找到真國王的屍體。」

「好主意。去找<u>豬八戒</u>幫你。」

<u>孫悟空</u>走到<u>豬</u>的床邊。「醒醒！醒醒！」他在<u>豬</u>的耳邊大喊。

「讓我睡覺。」<u>豬</u>說。「我們明天還要走路。」

"Jīn wǎn nǐ bìxū bāngzhù wǒ. Wǒ míngtiān yào hé mówáng zhàndòu. Tā hěn lìhài. Wǒ bìxū zhǎodào tā de bǎobèi, tōu zǒu tā. Wǒ xūyào nǐ bāngzhù wǒ tōu nà bǎobèi."

Zhū duì zhè bù mǎnyì. Tā shuō, "Hǎoba, dànshì wǒ xiǎng yào zhè bǎobèi. Dāng wǒmen zài lǚtú shàng de shíhòu, wǒ kěnéng huì hěn è. Wǒ kěyǐ mài diào zhè bǎobèi, dédào yìxiē chī de dōngxi." Sūn Wùkōng tóngyì le. Suǒyǐ Zhū cóng chuángshàng qǐlái, gēnzhe Sūn Wùkōng. Tāmen yòng Sūn Wùkōng de jīndǒu yún fēi huí dào chéngshì. Ránhòu tāmen zǒu dào gōngdiàn, tiàoguò gāogāo de shí qiáng. Tāmen zài huāyuán lǐ. Tāmen lái dào guówáng sǐ zài nàlǐ de nà kǒu jǐng. Tā shàngmiàn zhǎngzhe yì kē dà shù.

Zhū yòng bàzi bǎ shù tuīdǎo. Ránhòu, tā yòng tāde bízi bǎ tǔ tuī kāi, zhídào tā lái dào yí kuài gàizhe jǐng de dà píng shítou. Sūn Wùkōng bāng Zhū bǎ píng shí tuī dào yìbiān. Tāmen xiàng jǐng lǐ kàn. Tāmen kàndào jǐng dǐ xià fāchū de guāng.

"今晚你必須幫助我。我明天要和魔王戰鬥。他很厲害。我必須找到他的寶貝，偷走它。我需要你幫助我偷那寶貝。"

豬對這不滿意。他說，"好吧，但是我想要這寶貝。當我們在旅途上的時候，我可能會很餓。我可以賣掉這寶貝，得到一些吃的東西。"孫悟空同意了。所以豬從床上起來，跟著孫悟空。他們用孫悟空的筋斗雲飛回到城市。然後他們走到宮殿，跳過高高的石牆。他們在花園裡。他們來到國王死在那裡的那口井。它上面長著一棵大樹。

豬用耙子把樹推倒。然後，他用他的鼻子把土推開，直到他來到一塊蓋著井的大平石頭。孫悟空幫豬把平石推到一邊。他們向井裡看。他們看到井底[33]下發出的光。

---

[33] 底　　　dǐ – bottom

<u>豬</u>用耙子把樹推倒。

Zhū yòng bàzi bǎ shù tuīdǎo.

Zhu knocked down the tree with a rake.

"Kàn!" Zhū shuō, "Wǒ kàndào jǐng dǐ de bǎobèi le! Dànshì, zěnme cáinéng dào jǐng dǐ ne? Wǒmen méiyǒu shéngzi."

"Méi wèntí," Sūn Wùkōng shuō. "Bǎ nǐde yīfu gěi wǒ." Ránhòu, Sūn Wùkōng bǎ tāde tiě bàng biàn chéng yì gēn hěn cháng de mù gān, gān de chángduǎn kěyǐ zhídào jǐng dǐ. Tā bǎ Zhū de yīfu bǎng zài gān de yìtóu, bǎ Zhū bǎng zài tāde yīfu shàng, bǎ Zhū fàng dào jǐng xià.

Xià, xià, Zhū xiàqù le. Tāde jiǎo pèngdào le shuǐ. "Tíng!" tā jiào dào. Dànshì Sūn Wùkōng wǎng xià tuīzhe gānzi, Zhū dǎo zài shuǐ zhōng.

"Wǒ rènwéi bǎobèi zài shuǐ dǐ xia," Sūn Wùkōng shuō. "Yóu xiàqù, kànkàn nǐ néngbùnéng zhǎodào tā." Zhū yóu le xiàqù. Tā zhāng kāi yǎnjīng kàn le sìzhōu. Tā kàndào yí gè zìpái, xiězhe, "Shuǐ Jīng Gōng." Zhū juédé zhè hěn qíguài. Jǐng dǐ zěnme huì yǒu gōngdiàn? Tā bù zhīdào Jǐnglóng Wáng zhù zài

"看！"豬說，"我看到井底的寶貝了！但是，怎麼才能到井底呢？我們沒有繩子。"

"沒問題，"孫悟空說。"把你的衣服給我。"然後，孫悟空把他的鐵棒變成一根很長的木桿[34]，桿的長短可以直到井底。他把豬的衣服綁在桿的一頭，把豬綁在他的衣服上，把豬放到井下。

下，下，豬下去了。他的腳碰到了水。"停！"他叫道。但是孫悟空往下推著桿子，豬倒在水中。

"我認為寶貝在水底下，"孫悟空說。"遊下去，看看你能不能找到它。"豬遊了下去。他張開眼睛看了四周。他看到一個字牌，寫著，"水晶宮。"豬覺得這很奇怪。井底怎麼會有宮殿？他不知道井龍王住在

---

[34] 桿　　　gān – pole

zhèlǐ.

Jǐnglóng Wáng tīngdào Zhū lái le. Tā cóng Shuǐ Jīng
Gōng lǐ chūlái jiàn Zhū. Tā shuō, "Nǐ hǎo, wǒde
péngyǒu. Wǒmen zài zhèlǐ méiyǒu hěnduō kèrén. Nǐ
shì Tiān Péng Yuán Shuài ma?"

Zhū huídá, "Shìde, wǒ shì Tiān Péng Yuán Shuài. Wǒ
xiànzài shì Tángsēng de túdì, tā zhèng qiánwǎng xītiān
zhǎo fó shū. Wǒde gēge shì Sūn Wùkōng. Tā xiànzài
zài wǒmen de shàngmiàn, děngzhe wǒ huíqù. Tā ràng
wǒ ná yí jiàn bǎobèi, bǎ tā dài gěi tā. Nǐ yǒu ma?"

"Wǒ méiyǒu bǎobèi. Wǒ bú xiàng qítā zhù zài hǎilǐ
huò dàhé lǐ de lóngwáng. Tāmen yǒu hěnduō bǎobèi.
Dànshì wǒ zhù zài zhège jǐng lǐ. Tā hěn xiǎo, wǒ hěn
shǎo kàndào tàiyáng huò yuèliang. Wǒ dāngrán bú
huì yǒu bǎobèi gěi nǐ."

"Nǐ shénme dōu méiyǒu?"

這裡。

井龍王聽到豬來了。他從水晶宮裡出來見豬。他說，“你好，我的朋友。我們在這裡沒有很多客人。你是天蓬元帥嗎？”

豬回答，“是的，我是天蓬元帥[35]。我現在是唐僧的徒弟，他正前往西天找佛書。我的哥哥是孫悟空。他現在在我們的上面，等著我回去。他讓我拿一件寶貝，把它帶給他。你有嗎？”

“我沒有寶貝。我不像其他住在海裡或大河裡的龍王。他們有很多寶貝。但是我住在這個井裡。它很小，我很少看到太陽或月亮。我當然不會有寶貝給你。”

“你什麼都沒有？”

---

[35] This story is told in *The Hungry Pig*.

"Hǎoba, wǒ shì yǒu yí jiàn dōngxi. Gēn wǒ lái."

Lóngwáng yóu dào lìng yígè fángjiān, Zhū gēnzhe tā.

Tāmen lái dào le yí wèi sǐ le de guówáng de shītǐ biān.

Sǐqù de guówáng tóu shàng hái dàizhe Chōngtiān

mào. Tā chuānzhe yí jiàn yǒu fēilóng de hóngsè cháng

yī, yòng yì tiáo lǜ dài bǎngzhe. Tāde jiǎo shàng

chuānzhe xiù yǒu báiyún de xuēzi. "Zhè shì nǐde

bǎobèi," lóngwáng shuō.

"Bǎobèi? Zài wǒ yùdào Tángsēng qián, wǒ jīngcháng

chī rén. Wǒ jiào zhè shíwù!"

"Qǐng búyào bǎ zhè xiǎng chéng shì shíwù. Zhè shì Hēi

Gōngjī Wángguó guówáng de shītǐ. Tā jǐ nián qián lái

dào zhèlǐ. Wǒ yòng xiǎo mófǎ bú ràng tāde shēntǐ

fǔlàn. Nǐ kěyǐ bǎ zhège shītǐ dài gěi Sūn Wùkōng.

Kěnéng hóuzi kěyǐ ràng tā zài huó."

Zhū ná qǐ sǐqù guówáng de shītǐ, yóu huí mù gān. Tā

jiàozhe Sūn Wùkōng shuō, "Wǒ yǒu nǐde bǎobèi. Bǎ

wǒ lā shàngqù!" Sūn Wùkōng lā qǐ mù gān, bǎ Zhū hé

shītǐ lā le chū

"好吧，我是有一件東西。跟我來。"龍王遊到另一個房間，<u>豬</u>跟著他。他們來到了一位死了的國王的屍體邊。死去的國王頭上還戴著沖天帽。他穿著一件有飛龍的紅色長衣，用一條綠帶綁著。他的腳上穿著繡有白雲的靴子。"這是你的寶貝，"龍王說。

"寶貝？在我遇到<u>唐僧</u>前，我經常吃人。我叫這食物！"

"請不要把這想成是食物。這是<u>黑公雞王國</u>國王的屍體。他幾年前來到這裡。我用小魔法不讓他的身體<u>腐爛</u>[36]。你可以把這個屍體帶給<u>孫悟空</u>。可能猴子可以讓他再活。"

<u>豬</u>拿起死去國王的屍體，遊回木桿。他叫著<u>孫悟空</u>說，"我有你的寶貝。把我拉上去！"<u>孫悟空</u>拉起木桿，把<u>豬</u>和屍體拉了出

---

[36] 腐爛　　fǔlàn – to decay

lái. Tāmen sān gè dōu dǎo zài dìshàng.

"Hǎode, xiànzài dàizhe shītǐ huí dào shīfu nàlǐ," Sūn Wùkōng shuō. Zhū bú yuànyì dài shītǐ, dàn Sūn Wùkōng ná chū tiě bàng xiàng Zhū huī le huī. Ránhòu Zhū ná qǐ shītǐ, tāmen zǒuchū huāyuán. Ránhòu Sūn Wùkōng zhuāzhù le Zhū, yòng tāde jīndǒu yún fēi huí le sìmiào.

Dāng tāmen lái dào sìmiào shí, tāmen zǒu jìn le dàdiàn, Tángsēng zài nàlǐ děngzhe tāmen. Zhū bǎ shītǐ fàng zài dìshàng shuō, "Zhè shì lǎo hóuzi de yéye." Sūn Wùkōng xiàozhe shuō, "Nà búshì wǒde yéye, nǐ zhè bèn rén. Nà jiùshì Hēi Gōngjī Wángguó de guówáng."

Tángsēng shuō, "Shìde, tā yǐjīng sǐ le hǎo jǐ nián le. Wùkōng, nǐ néng ràng tā zài huó ma?"

Sūn Wùkōng huídá, "Wǒ bú zhème xiǎng. Dāng rén sǐ le yǐhòu, tāmen huì qù dìyù yíduàn shíjiān, huán tāmen yìshēng zhōng zuò de suǒyǒu huàishì. Rúguǒ tāmen shì yígè hǎorén, zhè

來。他們三個都倒在地上。

"好的，現在帶著屍體回到師父那裡，"孫悟空說。豬不願意帶屍體，但孫悟空拿出鐵棒向豬揮了揮。然後豬拿起屍體，他們走出花園。然後孫悟空抓住了豬，用他的筋斗雲飛回了寺廟。

當他們來到寺廟時，他們走進了大殿，唐僧在那裡等著他們。豬把屍體放在地上說，"這是老猴子的爺爺。"孫悟空笑著說，"那不是我的爺爺，你這笨人。那就是黑公雞王國的國王。"

唐僧說，"是的，他已經死了好幾年了。悟空，你能讓他再活嗎？"

孫悟空回答，"我不這麼想。當人死了以後，他們會去地獄一段時間，還他們一生中做的所有壞事。如果他們是一個好人，這

kěnéng xūyào jǐ gè xīngqí. Qítā jiù yǒu kěnéng xūyào jǐ nián shíjiān. Ránhòu, tāmen huí dào yí gè xīn shēngmìng de shēntǐ zhōng. Dànshì zhège rén yǐjīng sǐ le hǎo jǐ nián le. Wǒ zěnme néng bǎ tā dài huí shēngmìng?"

"Xiǎng xiǎng. Nǐ bìxū zhǎodào yí gè bànfǎ."

Sūn Wùkōng xiǎng le jǐ fēnzhōng. Ránhòu tā shuō, "Hǎode, wǒ yǒu gè zhǔyì. Wǒ huì qù dìyù, hé dìyù lǐ de shí gè guówáng tán. Wǒ huì zhǎo chū nǎge guówáng yǒu zhège sǐrén de línghún. Ránhòu, wǒ huì bǎ línghún dài huílái, bǎ tā fàng rù zhège shītǐ zhōng."

Zhū tīngdào le zhège. Tā shuō, "A, hóuzi, nǐ xūyào yí gè bǐ zhège gèng hǎo de jìhuà! Nǐ gàosùguò wǒ, nǐ búyòng qù dìyù jiù kěyǐ ràng zhège rén zài huó." Dāngrán, zhè búshì zhēnde. Dànshì Tángsēng xiāngxìn le. Tā kāishǐ shuō jǐn tóu dài yǔ. Sūn Wùkōng tóu shàng de tóu dài kāishǐ biàn jǐn, Sūn Wùkōng de tóu kāishǐ biàn dé fēicháng tòng.

可能需要幾個星期。其他就有可能需要幾年時間。然後，他們回到一個新生命的身體中。但是這個人已經死了好幾年了。我怎麼能把他帶回生命？"

"想想。你必須找到一個辦法。"

孫悟空想了幾分鐘。然後他說，"好的，我有個主意。我會去地獄，和地獄裡的十個國王談。我會找出哪個國王有這個死人的靈魂。然後，我會把靈魂帶回來，把它放入這個屍體中。"

豬聽到了這個。他說，"啊，猴子，你需要一個比這個更好的計劃！你告訴過我，你不用去地獄就可以讓這個人再活。"當然，這不是真的。但是唐僧相信了。他開始說緊頭帶語。孫悟空頭上的頭帶開始變緊，孫悟空的頭開始變得非常痛。

Dì 39 Zhāng

"Tíng, shīfu, tíng! Hǎoba, wǒ yǒu yí gè gèng hǎo de zhǔyì. Wǒ huì yòng wǒde jīndǒu yún dào dì sānshísān céng tiān, dào Tàishàng Lǎojūn de jiā. Tā yǒu shénqí de dānyào, kěyǐ ràng rén huí dào shēngmìng. Wǒ yào dédào yí lì, bǎ tā gěi sǐ le de guówáng."

Tángsēng tóngyì le zhège bànfǎ. Suǒyǐ, Sūn Wùkōng yòng tāde jīndǒu yún fēi dào le nán tiānmén. Tā chuān guò dàmén, ránhòu fēidào le dì sānshísān céng tiān, lái dào Tàishàng Lǎojūn de jiā. Tā jìnqù. Tā kàndào Tàishàng Lǎojūn dàizhe liǎng, sān gè niánqīng rén yìqǐ zài zuò shénqí de dānyào. Tàishàng Lǎojūn tái qǐ tóu, kànjiàn Sūn Wùkōng. Tā duì niánqīng rén shuō, "Xiǎoxīn, zhè shì zhǎo máfan de hóuzi, tā tōuzǒu guò wǒmen shénqí de dānyào. Hòulái, dāng wǒ yào ná huí wǒde wǔ jiàn bǎobèi shí, tā gěi wǒ zhǎo le máfan. Hóuzi, nǐ wèishénme huí dào wǒjiā?"

第 39 章

"停，師父，停！好吧，我有一個更好的主意。我會用我的筋斗雲到第三十三層天，到太上老君的家。他有神奇的丹藥，可以讓人回到生命。我要得到一粒，把它給死了的國王。"

唐僧同意了這個辦法。所以，孫悟空用他的筋斗雲飛到了南天門。他穿過大門，然後飛到了第三十三層天，來到太上老君的家。他進去。他看到太上老君帶著兩、三個年輕人一起在做神奇的丹藥。太上老君抬起頭，看見孫悟空。他對年輕人說，"小心，這是找麻煩的猴子，他偷走過我們神奇的丹藥。後來，當我要拿回我的五件寶貝時，他給我找了麻煩[37]。猴子，你為什麼回到我家？"

---

[37] The stories of these events can be fond in *The Immortal Peaches* and *The Five Treasures*.

"Xiānshēng, rúguǒ nǐ méi jì cuò dehuà, dāng nǐ yào ná huí nǐde wǔ jiàn bǎobèi shí, wǒ méiyǒu gěi nǐ zhǎo rènhé máfan. Wǒ bǎ tāmen gěi le nǐ. Ránhòu wǒ shīfu hé wǒ jìxù xīxíng. Wǒmen lái dào le Hēi Gōngjī wángguó. Wǒmen tīngshuō guówáng yǐjīng bèi móguǐ shāsǐ. Móguǐ biànchéng guówáng de yàngzi, xiànzài zuò zài guówáng de bǎozuò shàng. Liǎng tiān qián, sǐqù guówáng de línghún zài mèng zhōng lái jiàn wǒ de shīfu. Tā xūyào wǒ shīfu de bāngzhù. Xiànzài wǒmen yào ràng guówáng huí dào tāde shēngmìng zhòng, zhè yàng tā kěyǐ bǎ bǎozuò ná huílái."

"Nà nǐ xiǎng cóng wǒ zhèlǐ dédào shénme?"

"Wǒ xūyào yìqiān lì nǐde shénqí dānyào."

"Shénme, nǐ rènwéi nǐ kěyǐ xiàng chī mǐfàn yíyàng chī zhèxiē dānyào ma?"

"Hǎoba," Sūn Wùkōng dà xiào. "Nà jiù gěi wǒ yìbǎi lì dānyào."

"先生，如果你沒記錯的話，當你要拿回你的五件寶貝時，我沒有給你找任何麻煩。我把它們給了你。然後我師父和我繼續西行。我們來到了黑公雞王國。我們聽說國王已經被魔鬼殺死。魔鬼變成國王的樣子，現在坐在國王的寶座上。兩天前，死去國王的靈魂在夢中來見我的師父。他需要我師父的幫助。現在我們要讓國王回到他的生命中，這樣他可以把寶座拿回來。"

"那你想從我這裡得到什麼？"

"我需要一千粒你的神奇丹藥。"

"什麼，你認為你可以像吃米飯一樣吃這些丹藥嗎？"

"好吧，"孫悟空大笑。"那就給我一百粒丹藥。"

"Wǒ méiyǒu rènhé dānyào gěi nǐ."

"Hǎoba, shí lì dānyào zěnme yàng?"

"Wǒ gàosù guò nǐ, wǒ shénme dōu méiyǒu."

"Hǎoba, nàme wǒ jiù qù bié de dìfāng dédào tāmen." Sūn Wùkōng zhuǎnshēn zǒu le. Dànshì Tài Shàng Lǎo Jūn kāishǐ dānxīn Sūn Wùkōng hái huì huílái, tōu tāde shénqí dānyào.

"Nǐ zhège máfan de hóuzi," tā shuō. "Wǒ gěi nǐ yí lì dānyào. Xiànzài jiù ná zǒu, zài yě búyào huílái." Sūn Wùkōng ná le dānyào, fēi huí sìmiào. Tā zǒu dào sǐqù de guówáng de shītǐ nàlǐ. Tā yòng liǎng zhī shǒu dǎkāi guówáng de zuǐ. Ránhòu, tā bǎ shénqí dānyào fàng rù guówáng de zuǐ zhōng, ránhòu zài zuǐ lǐ dào jìn yì bēi lěngshuǐ. Sūn Wùkōng, Tángsēng, Zhū hé Shā dōu zài děngzhe kàn huì fāshēng shénme. Tāmen děng le jìn bàn gè xiǎoshí. Ránhòu guówáng de dùzi kāishǐ fāchū hěn xiǎng de shēngyīn.

"我沒有任何丹藥給你。"

"好吧，十粒丹藥怎麼樣？"

"我告訴過你，我什麼都沒有。"

"好吧，那麼我就去別的地方得到它們。"孫悟空轉身走了。但是太上老君開始擔心孫悟空還會回來，偷他的神奇丹藥。

"你這個麻煩的猴子，"他說。"我給你一粒丹藥。現在就拿走，再也不要回來。"孫悟空拿了丹藥，飛回寺廟。他走到死去的國王的屍體那裡。他用兩隻手打開國王的嘴。然後，他把神奇丹藥放入國王的嘴中，然後在嘴裡倒進一杯冷水。孫悟空，唐僧，豬和沙都在等著看會發生什麼。他們等了近半個小時。然後國王的肚子開始發出很響的聲音。

Tāmen jìxù děngzhe, dàn guówáng méiyǒu kāishǐ hūxī. "Nǐ bìxū bāngzhù tā," Tángsēng shuō. Sūn Wùkōng zàicì dǎkāi guówáng de zuǐ, yòng lì bǎ qì chuī le jìnqù. Sūn Wùkōng de qì zǒu zài guówáng de shēntǐ lǐ, bǎ tā jiào xǐng le. Guówáng shēn hūxī le yíxià, zuò le qǐlái.

"Xièxie nǐ!" guówáng duì Tángsēng shuō. "Wǒ jìdé zài nǐde mèng zhōng qù jiàn nǐ. Wǒ qǐng nǐ bāngzhù, dàn wǒ méi xiǎngdào huì zàicì zài huó rén de shìjiè lǐ xǐng lái!" Tángsēng bāngzhù guówáng zhàn qǐlái. Ránhòu tāmen dōu zǒu jìn le dàdiàn. Héshang gěi le tāmen zǎofàn. Ránhòu, héshangmen tuō xià le guówáng de jiù de zàng yīfu, gěi le tā yìxiē gānjìng de héshang yīfu chuān. Sūn Wùkōng ràng héshang qù xǐ guówáng de jiù yīfu, wǎn xiē shíhòu bǎ tā dài dào gōngdiàn.

Zǎofàn hòu, tāmen líkāi le sìmiào, xiàng gōngdiàn zǒu qù. Guówáng chuānzhe héshang de yīfu, názhe yìxiē xínglǐ, kànshàngqù

他們繼續等著，但國王沒有開始呼吸[38]。

"你必須幫助他，"唐僧說。孫悟空再次打開國王的嘴，用力把氣吹了進去。孫悟空的氣走在國王的身體裡，把它叫醒了。國王深呼吸了一下，坐了起來。

"謝謝你！"國王對唐僧說。"我記得在你的夢中去見你。我請你幫助，但我沒想到會再次在活人的世界裡醒來！"唐僧幫助國王站起來。然後他們都走進了大殿。和尚給了他們早飯。然後，和尚們脫下了國王的舊的髒衣服，給了他一些乾淨的和尚衣服穿。孫悟空讓和尚去洗國王的舊衣服，晚些時候把它帶到宮殿。

早飯後，他們離開了寺廟，向宮殿走去。國王穿著和尚的衣服，拿著一些行李，看上去

---

[38] 呼吸　　hūxī – to breathe

xiàng shì yí gè púrén huò gōngrén.

Tāmen zǒu le sìshí lǐ lù, lái dào le gōngdiàn. Sūn
Wùkōng zǒu dào gōngdiàn ménkǒu. Tā duì yì míng
shìwèi shuō, "Wǒmen shì Táng Huángdì sòng qù xīyóu
de héshang. Wǒmen xiǎng jiàn nǐmen de guówáng."
Shìwèi bǎ zhè gàosù mówáng. Mówáng ràng shìwèi
bǎ kèrén dài jìn bǎozuò fángjiān.

Sì ge xíngrén hé zhēn guówáng zǒu jìn bǎozuò
fángjiān. Zhēn guówáng kàn le bǎozuò fángjiān de
sìzhōu, kāishǐ ānjìng de kū le. Sūn Wùkōng zài tāde ěr
biān shuō, "Qǐng búyào kū, bìxià. Wǒmen bùxiǎng
ràng mówáng zhīdào nín shì shuí. Hěn kuài wǒde tiě
bàng jiù huì zuò tāde gōngzuò, mówáng huì bèi shāsǐ.
Búyòng dānxīn!"

Dāng tāmen zǒu jìn bǎozuò shí, tāmen zhōng de sì ge
tíng le xiàlái. Dànshì Sūn Wùkōng háishì zài zǒu,
zhídào tā zhàn zài mówáng miànqián. Tā méiyǒu
kòutóu, tā méiyǒu jūgōng.

Mówáng duì zhège kèrén méiyǒu xiàng tā jūgōng
gǎndào hěn shēngqì. "Nǐ cóng nǎlǐ lái de?" tā wèn.

像是一個僕人或工人。

他們走了四十里路，來到了宮殿。<u>孫悟空</u>走到宮殿門口。他對一名侍衛說，"我們是<u>唐</u>皇帝送去西遊的和尚。我們想見你們的國王。"侍衛把這告訴魔王。魔王讓侍衛把客人帶進寶座房間。

四個行人和真國王走進寶座房間。真國王看了寶座房間的四周，開始安靜地哭了。<u>孫悟空</u>在他的耳邊說，"請不要哭，陛下。我們不想讓魔王知道您是誰。很快我的鐵棒就會做它的工作，魔王會被殺死。不用擔心！"

當他們走近寶座時，他們中的四個停了下來。但是<u>孫悟空</u>還是在走，直到他站在魔王面前。他沒有叩頭，他沒有鞠躬。

魔王對這個客人沒有向他鞠躬感到很生氣。"你從哪裡來的？"他問。

"Wǒ láizì wěidà de Táng guó, dào xīfāng qù zhǎo fó shū, bǎ tāmen dài huílái. Wǒmen lái dào le zhèlǐ, xiǎng xiàng nǐ wènhǎo."

Guówáng hěn shēngqì. Tā shuō, "Nàme, nǐ láizì dōngfāng? Wǒ bù guānxīn nǐ huò nǐde wángguó. Dāng nǐ zài wǒde bǎozuò fángjiān lǐ, nǐ bìxū xiàng wǒ jūgōng. Shìwèi, bǎ tāmen dōu zhuā qǐlái!" Shìwèimen dōu pǎo xiàng qián qù zhuā Sūn Wùkōng, dàn tā zhǐshì yòng shǒuzhǐ zhǐzhe tāmen, shuō le xiē mó yǔ, shìwèimen dōu dòng zhù le.

Mówáng kàndào le zhè. Tā tiào qǐlái, xiǎng hé Sūn Wùkōng zhàndòu. Dànshì tàizǐ bǎ shǒu fàng zài mówáng de shǒubì shàng. Tàizǐ dānxīn mówáng huì shānghài Tángsēng. Tā bù zhīdào Sūn Wùkōng yǒu hěn qiángdà de mólì hé yì gēn tiě bàng. Tàizǐ duì guówáng shuō, "Bàba, qǐng nǐ búyào shēngqì. Wǒ tīng shuō guò, zhè wèi Tángsēng bèi tāde huángdì sòng dào xīfāng qù zhǎo fó shū. Nǐ hěn qiáng

"我來自偉大的唐國，到西方去找佛書，把它們帶回來。我們來到了這裡，想向你問好。"

國王很生氣。他說，"那麼，你來自東方？我不關心你或你的王國。當你在我的寶座房間裡，你必須向我鞠躬。侍衛，把他們都抓起來！"侍衛們都跑向前去抓孫悟空，但他只是用手指指著他們，說了些魔語，侍衛們都凍³⁹住了。

魔王看到了這。他跳起來，想和孫悟空戰鬥。但是太子把手放在魔王的手臂上。太子擔心魔王會傷害唐僧。他不知道孫悟空有很強大的魔力和一根鐵棒。太子對國王說，"爸爸，請你不要生氣。我聽說過，這位唐僧被他的皇帝送到西方去找佛書。你很強

---

³⁹ 凍　　dòng – to freeze

dà, dànshì Táng dìguó fēicháng dà, fēicháng qiáng. Rúguǒ nǐ shānghài zhè wèi Tángsēng, Táng Huángdì huì sòng lái yì zhī dà jūnduì. Wǒmen méiyǒu bànfǎ hé tāmen zhàndòu, Táng Huángdì huì chéngfá wǒmen de wángguó."

Guówáng zàicì zhuǎnxiàng Sūn Wùkōng, shuō, "Nǐmen shénme shíhòu líkāi dōngfāng de guótǔ? Táng Huángdì wèishénme yào bǎ nǐmen sòng dào xīfāng?"

Sūn Wùkōng gàosù mówáng suǒyǒu guānyú tāmen lǚtú de shì. Tā jiǎng le zìjǐ zài Huā Guǒ Shān shàng chūshēng, fózǔ zěnme bǎ tā fàng zài shānxià wǔbǎi nián, tā zěnme yùdào Tángsēng, chéngwéi tāde túdì. Ránhòu, tā xiàng mówáng jiǎng le Tángsēng, Zhū Bājiè hé Shā Wùjìng de shēnghuó gùshì. Zuìhòu, tā zhǐzhe zhēn guówáng shuō, "Zuótiān, dāng wǒmen jīngguò Bǎolín Sì shí, wǒmen dài shàng le zhège gōngrén."

Mówáng rènzhēn de kànzhe zhēn guówáng. "Wǒ bù xǐhuān tā. Nǐ shuō tā shì ge héshang? Ràng wǒ kàn kàn tā de wénshū."

大，但是唐帝國非常大，非常強。如果你傷害這位唐僧，唐皇帝會送來一支大軍隊。我們沒有辦法和他們戰鬥，唐皇帝會懲罰我們的王國。"

國王再次轉向孫悟空，說，"你們什麼時候離開東方的國土？唐皇帝為什麼要把你們送到西方？"

孫悟空告訴魔王所有關於他們旅途的事。他講了自己在花果山上出生，佛祖怎麼把他放在山下五百年，他怎麼遇到唐僧，成為他的徒弟。然後，他向魔王講了唐僧，豬八戒和沙悟淨的生活故事。最後，他指著真國王說，"昨天，當我們經過寶林寺時，我們帶上了這個工人。"

魔王認真地看著真國王。"我不喜歡他。你說他是個和尚？讓我看看他的文書。"

"Bìxià," Sūn Wùkōng huídá, "zhège rén tīng bújiàn, tā yě bú huì shuōhuà. Jǐ nián qián, tā zhù zài nǐde wángguó. Sān nián méiyǒu xià yǔ le. Rénmen è le. Tāmen xiàng tiān qídǎo, dàn méiyǒu dédào bāngzhù. Ránhòu yí gè dào sēng lái le, dài lái le yǔ. Dànshì nàge sēngrén bǎ tā rēng jìn jǐng lǐ, dài zǒu le zhège rén de shēngmìng. Wǒ bǎ tā dài huí le tāde shēngmìng. Xiànzài wǒ duì nǐ hé zhège fángjiān lǐ suǒyǒu qítā de rén shuō: Nǐ shì yí gè móguǐ, zhège rén shì Hēi Gōngjī wángguó de zhēn guówáng!"

Mówáng pǎo dào tā de yì míng dòngzhù de shìwèi nàlǐ. Tā zhuā qǐ shìwèi de jiàn. Ránhòu tā fēi dào kōngzhōng. Sūn Wùkōng gēnzhe tā, dà hǎn, "Móguǐ, nǐ rènwéi nǐ kěyǐ qù nǎlǐ. Lǎo hóuzi shì lái zhǎo nǐ de!"

Móguǐ huídá, "Hóuzi, zǒu kāi. Nǐ wèishénme duì zhège wángguó de shìqing gǎn xìngqù? Zhè búshì nǐ de wèntí."

Sūn Wùkōng xiào le. "Nǐ zhège wúfǎwútiān de móguǐ, nǐ

"陛下，"孫悟空回答，"這個人聽不見，他也不會說話。幾年前，他住在你的王國。三年沒有下雨了。人們餓了。他們向天祈禱，但沒有得到幫助。然後一個道僧來了，帶來了雨。但是那個僧人把他扔進井裡，帶走了這個人的生命。我把他帶回了他的生命。現在我對你和這個房間裡所有其他的人說：你是一個魔鬼，這個人是黑公雞王國的真國王！"

魔王跑到他的一名凍住的侍衛那裡。他抓起侍衛的劍。然後他飛到空中。孫悟空跟著他，大喊，"魔鬼，你認為你可以去哪裡。老猴子是來找你的！"

魔鬼回答，"猴子，走開。你為什麼對這個王國的事情感興趣？這不是你的問題。"

孫悟空笑了。"你這個無法無天的魔鬼，你

yǐwéi nǐ yīnggāi zài zhèlǐ dāng guówáng ma? Zhège wángguó búshì nǐ de. Xiànzài zhǔnbèi hǎo lái jiàn wǒ de bàng!"

Tāmen kāishǐ zhàndòu. Móguǐ méiyǒu xīwàng néng yíng Sūn Wùkōng. Tā fēi zǒu le, huí dào gōngdiàn, biàn le tāde yàngzi, ràng tā kànshàngqù hé Tángsēng yíyàng. Sūn Wùkōng huí dào gōngdiàn, zhǔnbèi yòng tāde bàng shāsǐ móguǐ.

"Bié dǎ wǒ, Sūn Wùkōng. Shì wǒ, nǐde shīfu Tángsēng!" móguǐ shuō. Sūn Wùkōng zhuǎnshēn qù dǎ lìng yígè rén.

"Bié dǎ wǒ, Sūn Wùkōng. Shì wǒ, nǐde shīfu Tángsēng!" Tángsēng shuō.

Sūn Wùkōng duì Zhū hé Shā shuō, "Tāmen zhōng nǎge shì wǒmen de shīfu, nǎge shì móguǐ?" Dànshì Zhū hé Shā dōu bù zhīdào, yīnwèi tāmen méiyǒu kàndào móguǐ huílái, biànchéng Tángsēng de yàngzi.

Sūn Wùkōng bù zhīdào gāi zěnme bàn. Tā kànzhe yígè Tángsēng,

以為你應該在這裡當國王嗎？這個王國不是你的。現在準備好來見我的棒！"

他們開始戰鬥。魔鬼沒有希望能贏孫悟空。他飛走了，回到宮殿，變了他的樣子，讓他看上去和唐僧一樣。孫悟空回到宮殿，準備用他的棒殺死魔鬼。

"別打我，孫悟空。是我，你的師父唐僧！"魔鬼說。孫悟空轉身去打另一個人。

"別打我，孫悟空。是我，你的師父唐僧！"唐僧說。

孫悟空對豬和沙說，"他們中哪個是我們的師父，哪個是魔鬼？"但是豬和沙都不知道，因為他們沒有看到魔鬼回來，變成唐僧的樣子。

孫悟空不知道該怎麼辦。他看著一個唐僧，

ránhòu kànzhe lìng yígè. Tāmen kànqǐlái méiyǒu rènhé bùtóng. "Wǒ gāi zěnme bàn?" tā duì Zhū shuō.

"Nǐ hěn bèn, gēge. Zhè hěn róngyì," Zhū shuō. "Bǎ yí gè Tángsēng fàng zài fángjiān de zuǒbiān, hé Shā zài yìqǐ. Bǎ lìng yí gè Tángsēng fàng zài fángjiān de yòubiān, hé wǒ zài yìqǐ. Ràng tāmen liǎng gè niàn Guānyīn púsà gěi Tángsēng de mìmi fó yǔ. Zhǐyǒu wǒmen de shīfu cái zhīdào zhège fó yǔ."

"Xíng." Sūn Wùkōng bǎ liǎng gè Tángsēng fàng zài bǎozuò fángjiān de liǎngbiān, ràng tāmen liǎng gè niàn mìmi fó yǔ. Tāmen zhōng de yígè zhàn zài Shā pángbiān, tā kāishǐ jìng jìng de niàn fó yǔ. Lìng yí gè zhàn zài Zhū de pángbiān, tā kāishǐ zì shuō zì huà. Zhū zhǐzhe tā shuō, "Gēge, zhège rén zài zì shuō zì huà. Tā shì móguǐ!"

Móguǐ zàicì fēi xiàng kōngzhōng. Sūn Wùkōng gēn zài hòumiàn. Tā xiǎng yào yòng tiě bàng yí bàng shāsǐ móguǐ. Dànshì jiù zài nà shí, cóng

然後看著另一個。他們看起來沒有任何不同。"我該怎麼辦？"他對豬說。

"你很笨，哥哥。這很容易，"豬說。"把一個唐僧放在房間的左邊，和沙在一起。把另一個唐僧放在房間的右邊，和我在一起。讓他們兩個念觀音菩薩給唐僧的秘密佛語。只有我們的師父才知道這個佛語。"

"行。"孫悟空把兩個唐僧放在寶座房間的兩邊，讓他們兩個念秘密佛語。他們中的一個站在沙旁邊，他開始靜靜地念佛語。另一個站在豬的旁邊，他開始自說自話。豬指著他說，"哥哥，這個人在自說自話。他是魔鬼！"

魔鬼再次飛向空中。孫悟空跟在後面。他想要用鐵棒一棒殺死魔鬼。但是就在那時，從那個聲音說，"孫悟空，不要那樣做！"

Nàge shēngyīn shuō, "Sūn Wùkōng, búyào nàyàng zuò!"

The voice said, "Sun Wukong, don't do that!"

dōngběi de yì duǒ cǎiyún nàlǐ chuán lái yígè hěn xiǎng
de shēngyīn. Nàge shēngyīn shuō, "Sūn Wùkōng,
búyào nàyàng zuò!" Sūn Wùkōng kàn le kàn yún,
kànjiàn le Wénshū púsà. Tā xiàng Wénshū júgōng.

Wénshū shuō, "Wǒ lái zhèlǐ shì wèi le bāng nǐ jiějué
zhège móguǐ. Kàn!" Wénshū shǒu lǐ názhe jìngzi. Sūn
Wùkōng yòng jìngzi kàn móguǐ. Tā kàndào le móguǐ
de zhēn yàngzi: Dàdà de hóng yǎnjīng, dàdà de tóu,
zhǎngzhe lǜ máo de lǜsè shēntǐ, sì ge dà jiǎo, liǎng gè
dà ěrduo hé yì tiáo cháng wěibā. Tā shì yì zhī shīzi!

Sūn Wùkōng shuō, "Púsà, wǒ rènshi zhè zhī lǜ máo
shīzi. Zhè zhī shīzi shì nǐde púrén. Tā shì zěnme táozǒu
de, lái dào zhèlǐ gěi zhège wángguó dài lái máfan de?"

Wénshū huídá shuō, "Tā méiyǒu táozǒu. Wǒ bǎ tā
sòng dào le

東北的一朵彩[40]雲那裡傳來一個很響的聲
音。那個聲音說，"孫悟空，不要那樣
做！"孫悟空看了看雲，看見了文殊[41]菩
薩。他向文殊鞠躬。

文殊說，"我來這裡是為了幫你解決這個魔
鬼。看！"文殊手裡拿著鏡子[42]。孫悟空用
鏡子看魔鬼。他看到了魔鬼的真樣子：大大
的紅眼睛，大大的頭，長著綠毛的綠色身
體，四個大腳，兩個大耳朵和一條長尾巴。
他是一隻獅子！

孫悟空說，"菩薩，我認識這隻綠毛獅子。
這隻獅子是你的僕人。他是怎麼逃走的，來
到這裡給這個王國帶來麻煩的？"

文殊回答說，"他沒有逃走。我把他送到了

---

[40] 彩　　　cǎi - colorful
[41] Wenshu, also known as Manjusri, is a boddhisadva who represents the transcendent wisdom which cuts down ignorance and duality.
[42] 鏡子　　jìngzi - mirror

zhèlǐ. Hěnjiǔ yǐqián, Hēi Gōngjī wángguó de guówáng shì ge hǎorén. Fózǔ ràng wǒ dào zhèlǐ bǎ tā dài dào xītiān. Wǒ biànchéng yígè kělián héshang de yàngzi, xiàng tā yào chī de dōngxi. Tā bù xǐhuān nàyàng, suǒyǐ tā gàosù tāde shìwèi yòng shéngzi bǎ wǒ bǎng qǐlái, ránhòu bǎ wǒ rēng jìn gōngdiàn sìzhōu de shēn shuǐ lǐ. Wǒ zài shuǐ xià sān tiān sān yè, ránhòu Hēi'àn Liùshén kànjiàn le wǒ, bāngzhù wǒ táozǒu le. Fózǔ bǎ zhè zhī shīzi sòng lái chéngfá guówáng, bǎ tā rēng jìn jǐng lǐ, ránhòu bǎ tā fàng zài nàlǐ sān nián. Xiànzài nǐ lái le, tāde chéngfá jiéshù le."

"Zhè shì ge hǎo gùshì," Sūn Wùkōng shuō. "Wǒ hěn gāoxìng nǐ chéngfá le guówáng. Dànshì yǒu duōshǎo rén wèi zhè shòudào shānghài? Yǒu duōshǎo rén sǐ le?"

"Méiyǒu rén shòudào shānghài, yě méiyǒu rén sǐ. Mówáng wèi wángguó dài lái le hǎo tiānqì hé hěnduō de shíwù."

"Guówáng de qīzimen ne? Móguǐ búshì hé tāmen yìqǐ shuì le sān nián, huài le tiān fǎ ma?"

這裡。很久以前，黑公雞王國的國王是個好人。佛祖讓我到這裡把他帶到西天。我變成一個可憐和尚的樣子，向他要吃的東西。他不喜歡那樣，所以他告訴他的侍衛用繩子把我綁起來，然後把我扔進宮殿四周的深水裡。我在水下三天三夜，然後黑暗六神看見了我，幫助我逃走了。佛祖把這隻獅子送來懲罰國王，把他扔進井裡，然後把他放在那裡三年。現在你來了，他的懲罰結束了。"

"這是個好故事，"孫悟空說。"我很高興你懲罰了國王。但是有多少人為這受到傷害？有多少人死了？"

"沒有人受到傷害，也沒有人死。魔王為王國帶來了好天氣和很多的食物。"

"國王的妻子們呢？魔鬼不是和他們一起睡了三年，壞了天法嗎？"

"Méiyǒu. Tā kěnéng kànqǐlái xiàng yì zhī qiángdà de shīzi, dàn tā shì bèi yāngē guò de. Guówáng de qīzimen méiyǒu huài le tiān fǎ."

Zhū duì zhè gǎndào hǎoxiào, shuō, "Suǒyǐ, tā yǒu yí gè hóng bízi, dàn tā bù hējiǔ, shì ma?"

"Hǎode," Sūn Wùkōng shuō. "Bǎ tā dài zǒu." Wénshū púsà niànzhe mó yǔ, móguǐ biànchéng tā běnlái de shīzi de yàngzi. Wénshū hé shīzi fēi shàng tiāntáng.

Sūn Wùkōng huí dào bǎozuò fángjiān. Suǒyǒu de dàchén dōu xiàng zhēn guówáng, Tángsēng hé tāde túdìmen kòutóu. Sì míng héshang cóng sìmiào lái, dài lái le zhēn guówáng de gānjìng yīfu. Guówáng tuō xià le héshang de yīfu. Tā chuān shàng yǒu fēilóng de hóngsè cháng yī, yòng tāde lǜ dài bǎng hǎo. Ránhòu tā chuān shàng xuēzi, dài hǎo màozi. Guówáng kàn le bǎozuò yì fēnzhōng, dàn tā méiyǒu zuò zài bǎozuò shàng. Tā duì Tángsēng hé tāde túdì shuō, "Wǒde péngyǒu

"沒有。他可能看起來像一隻強大的獅子，但他是被閹割[43]過的。國王的妻子們沒有壞了天法。"

豬對這感到好笑，說，"所以，他有一個紅鼻子，但他不喝酒，是嗎？"

"好的，"孫悟空說。"把他帶走。"文殊菩薩念著魔語，魔鬼變成他本來的獅子的樣子。文殊和獅子飛上天堂。

孫悟空回到寶座房間。所有的大臣都向真國王、唐僧和他的徒弟們叩頭。四名和尚從寺廟來，帶來了真國王的乾淨衣服。國王脫下了和尚的衣服。他穿上有飛龍的紅色長衣，用他的綠帶綁好。然後他穿上靴子，戴好帽子。國王看了寶座一分鐘，但他沒有坐在寶座上。他對唐僧和他的徒弟說，"我的朋友

---

43 閹割　　yāngē – to castrate, gelding

men, wǒ yǐjīng sǐ le sān nián le. Wǒ bú zài juédé zìjǐ shì guówáng le. Nǐmen zhōng de yígè yīnggāi zuò zài bǎozuò shàng, dàn búshì wǒ."

Sūn Wùkōng shuō, "Bìxià, wǒ wèishénme yào zuò guówáng? Guówáng yǒu tài duō shìqing yào dānxīn. Wǒ xǐhuān zuò túdì de jiǎndān shēnghuó." Tángsēng dāngrán shuō bù, Zhū hé Shā yě zhème shuō. Suǒyǐ zuìhòu, guówáng zǒu dào bǎozuò shàng, zuò zài shàngmiàn shuō, "Hǎoba. Wǒ zàicì chéngwéi guówáng."

Tángsēng xiàozhe shuō, "Wǒ xiǎng nín huì chéngwéi yí gè fēicháng hǎo de guówáng."

Guówáng yào tāmen zài gōngdiàn lǐ guòyè, nàtiān wǎnshàng tā jǔxíng le dà yànhuì. Zǎoshàng, Tángsēng hé tāde túdì dōu xiàng guówáng, wánghòu hé tàizǐ shuō zàijiàn. Tāmen zǒuchū gōngdiàn, jìxù tāmen de xīyóu.

們，我已經死了三年了。我不再覺得自己是
國王了。你們中的一個應該坐在寶座上，但
不是我。"

孫悟空說，"陛下，我為什麼要做國王？國
王有太多事情要擔心。我喜歡做徒弟的簡單
生活。"唐僧當然說不，豬和沙也這麼說。
所以最後，國王走到寶座上，坐在上面說，
"好吧。我再次成為國王。"

唐僧笑著說，"我想您會成為一個非常好的
國王。"

國王要他們在宮殿裡過夜，那天晚上他舉行
了大宴會。早上，唐僧和他的徒弟都向國
王，王後和太子說再見。他們走出宮殿，繼
續他們的西遊。

The Ghost King
Chapter 36

My dear child, tonight I will tell you another story about the Monkey King. Our story begins with the monk Tangseng riding his horse west towards India. His three disciples were with him. Sha Wujing was leading the horse and Zhu Bajie was carrying the luggage. Sun Wukong was in front, carrying his iron rod across his shoulders and looking in all four directions for trouble.

"Disciples," said Tangseng, "why is it so difficult to reach the Western Heaven? We have seen springtime come and go four or five times. Each time spring has turned to summer, then fall, then winter, then spring again. But still we travel on this road. When will we reach the end?"

Sun Wukong replied, "Don't worry, Master, the road is long. We have just begun. Look at it like this: we are still in our house. All of Heaven and Earth is just one room in our home. The blue sky is our roof, the sun and moon are our windows, and the mountains are the pillars that hold up our home. We have not left our house yet. But don't worry, just follow me!"

They came to a tall mountain. Sun Wukong walked quickly up the mountain path, and the others followed close behind him. They heard wolves, and Tangseng became afraid. Sun Wukong saw this and laughed. "Don't be afraid, Master, and keep going. We will reach the end when we have done everything that Heaven asks of us."

They walked until evening. They could see thousands of stars in the sky, and the moon rose in the east. Tangseng wanted to find a place to rest for the night. He saw several large buildings. "Disciples, I see a place. Perhaps it is a temple."

"Wait," said Sun Wukong. "Let me take a look first." He jumped into the air and flew towards the building. He saw that it was indeed a Buddhist monastery. All around the monastery was a high red stone wall, with a large golden gate. He looked inside the wall and saw many monks. Some of the monks were teaching classes. Some were playing music, cooking food, burning incense, or just walking around. He returned and said, "Master, this looks all right to me. We can stay here tonight."

They walked towards the golden gate. Above the gate was a sign, covered by dirt. Sun Wukong cleaned the sign, and read it: "Precious Grove Monastery."

"Wait here," said Tangseng to Sun Wukong. "You are an ugly monkey. If you frighten the monks, we will have no place to stay tonight." He got off his horse, folded his hands in front of him, and walked slowly through the gate. There was a large golden lion statue on his left side, and another one on his right side. He walked through a second gate and saw a statue of the bodhisattva Guanyin. She was giving food to fish and other creatures of the ocean. He thought, "Ah, look at these creatures all praying to Buddha. Why can't people do this?"

As he was thinking about this, a worker came through the third gate and met him, saying, "Where does the Master come from?"

Tangseng replied, "This poor monk comes from the Tang kingdom. He was sent by the Tang Emperor to journey to the west and find Buddhist books to bring back to the Tang Emperor. We were traveling nearby and saw your beautiful monastery. The hour is getting late, so we ask you to give us a place to rest for the night. We will leave in the morning."

The worker replied, "I cannot say if you can or cannot stay here tonight. I am just a poor worker. I will go and ask my master." The worker ran into the monastery and said to the old master, "Sir, there is a monk outside."

The old master looked outside. He saw Tangseng wearing torn and dirty clothing and old sandals on his feet. The old master became angry, and said to the worker, "That is no monk, that is just a beggar. I don't want him bringing dirt into our beautiful clean monastery. Tell him to go away!"

Tangseng heard this. He did not wait for the worker. He walked right in to the monastery and said to the old master, "How sad, how sad. It is as people say, 'A man away from home is cheap!' This poor monk left home long ago to become a monk. I don't know what I did to cause you to say these things to me. If I told my monkey disciple what you told me, he would use his iron rod to teach you a lesson that you will never forget."

The monk was sitting at his desk. He looked up at Tangseng and said, "Who are you and where did you come from?"

"This poor monk was sent by the Tang emperor to the Western Heaven, to find and bring back the Buddha's books. I was passing through your beautiful neighborhood. The hour was getting late, so I thought to stop here and rest. I will leave early tomorrow morning. Please let me stay tonight."

The old master looked at Tangseng, and said, "Are you Tangseng?"

"Yes."

"I have heard of you. Well, you cannot stay here. There is a nice inn about five miles west of here. They sell food there, and they also have beds. Now go away."

Tangseng was getting a little bit angry. He folded his hands again and said, "Dear sir, the ancients said that a monk may come to any abbot or monastery, and take three percent of the food in that place. Why do you tell me to go away?"

The old master replied, "I will not let beggars come in here! A long time ago, some poor monks like you arrived here. They sat in front of the gate and asked for food. I let them in and gave them vegetarian food. I even gave each of them new clothes, and I invited them to stay for a few days. Do you know, they stayed here for eight years and caused a lot of trouble!"

Now Tangseng was really angry. He did not reply to the old master, he just walked out. He told his disciples that the old master would not let them stay. Sun Wukong said, "You know what the ancients say, 'when people come together for the Buddha, they are all one family.' This old master is not a true Buddhist. You wait here. I will see what's going on."

Sun Wukong walked through the first gate and second gate, right up to the monastery door. The worker saw him and was terrified. He ran back into the monastery and said to the old master, "Holy father, there is another monk outside. He is not like the first one. He has big yellow eyes, pointed ears, a hairy face, and a nose like a thunder god. And he is holding in his hands a huge iron rod. I think he wants to beat someone with it!"

The old monk got up and walked outside to see who was there. He took one look at Sun Wukong, turned, and ran back inside. He quickly closed the monastery door.

This was no problem for Sun Wukong. He just used his iron rod to smash the door. Then he shouted, "Hurry up! I want to take a nap. I need one thousand rooms right now!"

The old master was shaking in his shoes. He shouted through the door to Sun Wukong, "Elder brother, I am sorry but we only have three hundred rooms in our monastery. We have no rooms for you. Please go somewhere else."

Sun Wukong smashed his iron rod down onto the floor. Stones flew up to the sky. He said to the old master, "It is time for you to leave. All of you. Now."

"But sir, there are five hundred monks here. We have lived here since we were young men. There is no other place for us to go."

"All right. Then come out and I will beat you with my iron rod."

The old master and the worker did not know which person Sun Wukong wanted to beat. They started arguing about who should go out and get the beating. While they were arguing, Sun Wukong looked around. He saw a large stone lion. He raised his iron rod and smashed it down on the lion, turning it into a pile of stones. This made the old master even more afraid. "All right, all right!" he cried, "You can stay here tonight."

"Good. Call all the monks. Tell them all to come here and welcome the Tang monk." The old master told the worker to do this. Sun Wukong called to Tangseng and the others, telling them to come inside.

Soon, five hundred monks were standing in the main hall. They all kowtowed to Tangseng. Zhu Bajie thought this was very funny. He said to Tangseng, "Master, when you went into the monastery, you came out crying. But when Old Monkey went inside, he came back with five hundred monks kowtowing to him. Why is that?"

"You fool," replied Tangseng. "The ancients say, 'even ghosts are afraid of nasty people.' " The he turned to the kowtowing monks and said, "My friends, please rise." He said to the old master, "Thank you for welcoming us to your home. Truly, we are all brothers following the Buddha."

The old master replied, "Please forgive us for not

recognizing you as the great Tangseng. We are all very happy to meet you. Tell me, do you want meat or vegetables for dinner?" Tangseng told him that they all were monks and lived only on vegetarian food. So the old master told his monks to go to the kitchen and prepare dinner for the visitors.

They all enjoyed a nice vegetarian dinner, then they went to their beds to rest for the night. All five hundred monks followed them. Tangseng looked at them and said, "Please, go back to your own rooms! We don't need any more of your help tonight."

After the monks left, Tangseng walked outside and looked up to the sky. There was a large bright moon in the sky. He said to the others,

"Look at the bright moon in the sky
Her light covers all the world
It fills great temples and small homes
Ten thousand miles are made bright
She is a wheel of ice in the green sky
A ball of snow over the blue sea
An old traveler sleeps in the inn
An old man sleeps in his mountain home
The moon enters and turns black hair to gray
And gray hair to white
She lights each window like white snow
And comes to see us here tonight."

He said, "My friends, you are all tired from the day's journey. Go to sleep. I will stay here and meditate on the teachings of the Buddha."

Sun Wukong asked him, "Master, you have studied the Buddha's words since you were a young boy. Why do you need to study them again now?"

"Since we left Chang'an, we have been traveling day and night. I fear that I will forget what I learned when I was a youth." Sun Wukong nodded, and he went to sleep. Tangseng stayed outside for a long time, under the bright moon.

Chapter 37

Finally, around the time of the third watch, Tangseng went to bed. He was tired and quickly fell asleep. He began to dream. In his dream he heard the sound of a strange and powerful wind. He listened to the wind. It seemed to be calling to him. "Master!" said the wind. Tangseng saw a man standing there, soaking wet as if he was in a heavy rain. The man said again, "Master!"

In his dream Tangseng asked, "Who are you? Are you a ghost here to cause trouble? I am a good man, I am a monk. I am traveling to the Western Heaven with three disciples. They are all great warriors. They can kill you instantly if you cause trouble. Now go away while you still can, and don't come here to the doors of this monastery."

"I am not a ghost," said the man. "Look at me!" Tangseng looked carefully at the man. On his head was a rising-to-heaven hat. He wore a red robe with flying dragons, tied with a green belt. On his feet were boots embroidered with white clouds. His face was strong like the king of Mount Tai. Tangseng could see that this was a great king.

Tangseng bowed deeply and said, "Your majesty, did you have trouble in your kingdom? Did evil ministers try to take your throne away from you? Is that why you are here at this monastery in the middle of the night?"

The man replied, "No, I had no trouble with evil ministers. My kingdom is about forty miles west of here. It is called the Black Rooster Kingdom. About five years ago there was a terrible drought. The people had no water. They could not grow any food, and many people died from hunger."

Tangseng said, "Your majesty, the ancients say, 'when the kingdom is upright, then Heaven will smile.' If there is no food, the king must open up the storehouses and give food to your people. But instead, you are here, all alone, telling your story to this poor monk. What did you do that caused Heaven to become angry with you?"

"I did just as you say. We opened the storehouses and gave away all the food. We had no money, so we stopped paying the ministers. I also went hungry, to share the pain of our people. Night and day we all prayed to the gods. We did this for three years, but still there was no rain. Our people were dying. Then one day a Daoist monk came to our kingdom. He called the wind, and the wind brought rain. He turned rock into gold. Once again, our people had food to eat and water to drink. I was so happy, I made him my brother."

"If this Daoist monk could make rain anytime he wanted, then your kingdom should be wealthy and happy. Why are you here tonight?"

"Yes, our kingdom was wealthy and happy. But one day in the springtime, I was walking in the garden with the Daoist monk. We came to an eight-sided well. Suddenly the monk pushed me into the well. Then he covered the well with a large flat stone. He covered the well with dirt, and he planted a tree on top of it! And so, I have been dead for three years."

Tangseng listened to this, then he said, "Your Majesty, you say you have been dead for three years. Didn't your ministers miss you and search for you?"

"As soon as the Daoist monk pushed me into the well, he changed his form and looked just like me. Then everything belonged to him: my kingdom, my army, my four hundred ministers and my many wives. Truly this man is a demon!"

"My friend, I think you are too timid. Yes, the Daoist certainly had powerful magic. But after your death you could have brought the matter to Yama, the King of the Underworld."

"I could not do that. This demon is good friends with Yama's ministers. The Ten Kings of the Underworld are his brothers. He even goes drinking with the dragon king of the ocean. There is no place I can go for help."

"If you cannot get help in the world of darkness, why do you come to me in the world of light?"

"Ah great Tang monk, I have heard of you! You are a great man. You are protected by the Six Gods of

Darkness, the Six Gods of Light, and many other gods. Just now, one of the Gods of Darkness brought me here on the strange wind. He told me that you have a disciple, the Monkey King, who is powerful. So I ask you to please come to my kingdom, seize the demon monk, and return me to our throne!"

"Well, if you ask my monkey disciple to fight demons and catch monsters, that will make him very happy. But I'm afraid this will be a very difficult job."

"Why?"

"You say that this demon looks exactly like you. That means that everyone in your kingdom thinks that the demon really is you. If my monkey disciple does something to harm the demon, the people of your kingdom will think that he harmed the true king. He would be in serious trouble."

"That may be true. But my son, the prince, is still in the palace. He does not know that I have been killed and the demon is now sitting on the throne instead of me. But the demon will not let my son speak with his mother. He is afraid that if the two of them talk together, they will learn the truth."

"How can I meet the prince? I am just a lowly traveling monk."

"My son is leaving the palace tomorrow. He plans to go hunting. He will bring three thousand men and horses. Perhaps you can meet him while he is on this hunting trip."

"Why would he believe me?" asked Tangseng. "For years he has believed that you are alive. He thinks that he talks with you every day."

"Use this." The king showed a white jade statue to Tangseng. "After the demon pushed me into the well, he took everything in the palace, everything in the whole kingdom. But he could not find this jade statue because it was in my robe when he pushed me into the well. Show this to my son."

"All right, I will do it. Please wait here."

"No, I cannot. I have one more job to do tonight. I must go to the queen and talk to her in a dream." The ghost king left the room. Tangseng tried to follow him, but he fell and hit his head on the floor. As soon as that happened, he woke from his dream.

"Disciples, disciples, come quickly!" he called. "I had a dream. I must tell you about it!"

Sun Wukong came into the room. He said, "Master, your mind is too busy. Yesterday you were worried about meeting monsters on this mountain. Then you were worried about how far it is to the Western Heaven. Then you thought about your home in Chang'an. Because of this mind is too busy, and you dream. Look at me. I have a quiet mind, and I have no dreams at all."

"No, this was not a dream of home or a dream of fear. I met a ghost king." Then Tangseng told his three disciples about the dream. Then he looked around the room, and he saw the white jade statue lying on the floor. He picked it up and showed it to the three disciples. "This is the statue that the king gave me in my dream!"

Sun Wukong laughed and said, "It looks like this ghost king wants to let me have some fun. If there's a demon on the throne, my iron rod will take care of him!" Then the monkey pulled a hair from his head and blew on it. Instantly it changed into a small red wooden box. Sun Wukong put the jade statue in the box. "Master, go sit in the main hall. Hold the box in your hands. Wait for me. I will bring the prince to you. When he arrives, open the box a little bit. I will make myself just two inches high and jump into the box. Do not stand up or even look at him. This will make him angry, and he will have you arrested."

"What?" cried Tangseng. "Then what will happen?"

"Don't worry, I will be there to protect you. Tell him that you are a monk traveling to the Western Heaven, which of course is true. Tell him that there is a treasure inside this box. The treasure knows everything about the past five hundred years, the present five hundred years, and the future five hundred years. Then I will come out and tell the prince everything that you heard in your dream. The prince will believe me. Then I can go to the palace and kill the demon."

Tangseng thought this was a good plan. The next morning, Sun Wukong jumped into the air and flew forty miles to the city. He saw that it was covered in a dark fog. "Truly, if a true king sits on the throne, the city will be full of light. But now a demon sits on the throne, so of course the city is covered in dark fog."

As he looked at the city, the eastern gates opened and three thousand men and horses came out. They soon reached the rice fields about twenty miles from the monastery. In front was a tall handsome young man, holding a sword of blue steel. Sun Wukong recognized that this was the prince. "Let me have a little fun with him," he thought to himself.

Sun Wukong changed into a small white rabbit. He ran right in front of the prince's horse. The prince shouted with delight and shot the rabbit with an arrow. He did not see Sun Wukong grab the arrow before it hit his body, so the rabbit was not hurt. The rabbit ran away towards the monastery. The prince followed. When the rabbit arrived at the monastery, it ran inside and changed back to Sun Wukong's monkey form. "Master, the prince is here!" shouted Sun Wukong.

The prince arrived, jumped down from his horse, and entered the main hall of the monastery. Three thousand men on horses arrived shortly afterwards, and many of them also crowded into the hall. At the other end of the hall, the five hundred monks entered and kowtowed to the prince. The prince looked around. He saw the beautiful paintings in the main hall. Then he saw a monk sitting in the middle of the hall. The monk did not get up or bow to the prince.

The prince was very angry. "Seize him!" he cried. The prince's men tried to grab Tangseng. But Sun Wukong, hiding inside the box, made a magic spell that protected

Tangseng like a wall of stone, so the men could not touch him. The prince said, "Who are you, monk, to use magic against me?"

Tangseng replied, "Sir, I am just a poor monk from the Tang empire. I am traveling to the Western Heaven to find the Buddha's books and bring them back to my emperor. But I know you. You have not honored your father."

"What?" cried the prince. "Of course I honor my father. I see him every day, and I do as he tells me."

"Great prince, look inside this red box. You will find a treasure. This treasure can see five hundred years in the past, five hundred years in the present, and five hundred years in the future. And this treasure knows that you have not honored your father." Then Tangseng opened the box. Sun Wukong jumped out, and grew from two inches tall to his usual height.

The prince said to him, "This old monk says that you have knowledge of the past, present and future. Tell me the truth: have I or have I not honored my father?"

Sun Wukong replied, "Your highness, you are the son of the king of Black Rooster Kingdom. You may remember that there was no rain in your kingdom for several years. The people had no water and no food. Then a Daoist monk arrived. He brought rain, and the people could eat again. The monk and your father became brothers."

"Yes, I know this. What of it?"

"I will tell you, but it is a secret. No one else can hear

this." So the prince told his three thousand men to leave the main hall. And Tangseng told the five hundred monks to leave. Now it was just the three of them in the main hall.

Sun Wukong continued, "Your Highness, the Daoist monk is really a demon. Three years ago, he killed your father. He then took the form of your father, and became king of your land. He could not be in two bodies at the same time, so he told you that the Daoist monk had returned to the mountains where he came from. But this is not true. The man who sits on the throne is not your father. It is the demon!"

"That cannot be true," said the prince. "If our king was a demon, things would be very bad for us. But for the last few years our kingdom has been happy. We have plenty of rain, we have plenty of food, and there is no war. You are wrong. The Daoist monk is gone, my father is on the throne, and all is well in our kingdom."

Sun Wukong turned to Tangseng and said, "See, he does not believe me. Show him the treasure." Tangseng held the jade statue out for the prince to see.

"Thief! Thief!" cried the prince. "You have stolen this statue, and now you try to give it back to me while you lie about my father. I will have you arrested and killed for this!"

Tangseng became very afraid. He turned to Sun Wukong and said, "Monkey, look at the trouble you have caused. Do something!"

Sun Wukong said, "Your Highness, my name is Sun Wukong. I am the elder disciple of this monk Tangseng. We were traveling west yesterday. It became late so we stopped at this monastery to spend the night. During the night, my master met your father in a dream. Your father told my master that the Daoist monk had killed him and thrown him into a well. Then the Daoist monk changed his form to look like your father. He seized the throne and has been the king for three years. The demon is afraid that your mother knows the difference between him and your real father. For that reason, he will not let you see your mother. He is afraid that the two of you will discuss this and learn the truth."

The prince did not know what to think. He stood there, just thinking about Sun Wukong's words.

Sun Wukong said, "Your Highness, I know this is a lot to think about. But it is all true. You can find the truth for yourself. Leave your three thousand men here. Go back quietly to the palace. Go in through the servant's gate in the back, and find your mother. Talk with her!"

Chapter 38

The prince did as Sun Wukong told him. He told his three thousand men to wait at the monastery. Then he rode his horse quickly back to the palace, entered through the servant's gate, and soon found his mother. The Queen was sitting in the garden, crying. She remembered an important dream from the previous night, but she could only remember the first half of the dream. When she saw her son arrive, she ran to him. "Ah my son, I am

147

so happy to see you! It has been many years." She saw that he was unhappy, and said, "Why are you unhappy? Your life is good. And sometime in the future, your father will return to Heaven and you will sit on the throne. How can you be unhappy?"

"Mother, I must ask you a question. Who sits on the throne?"

"My son, are you mad? It is your father of course."

"Mother, I must ask you another more difficult question. Is your husband different than he was a few years ago?"

"No, he is the same as he was before."

"Mother, when you are in bed with him, is everything the same as before?"

The queen looked down at the ground. She said quietly, "Well, three years ago he was loving and warm. But for the past three years he has been as cold as ice. I have tried to invite him to give his love to me, but he just says that he is old and cannot do it anymore."

The prince jumped up and mounted his horse. He said, "Mother, I must go. Earlier today I was out hunting and I met a traveling monk and his disciple. They told me that the man sitting on the throne is not my father, but a demon. I did not believe them, but I believe them now!"

"My son, how can you believe the words of these people? You just met them today!"

"They gave me this." He handed her the white jade statue.

The queen saw it and began to cry. She just remembered the rest of her dream. She said, "My son, last night I saw your father in a dream. He was covered with water. He told me he was dead, that the Daoist monk had thrown him down a well. He said that there is a traveling monk who can help us. My son, you must go to that monk and get his help right away!"

The prince rode his horse back to the monastery. He got off the horse and walked into the main hall. He saw Sun Wukong and Tangseng. He told them everything that had happened. Sun Wukong said, "Ah, if the demon king is cold in bed, he is probably a cold-blooded creature of some sort. Don't worry, I will take care of this demon. I'll do it tomorrow. For now, go back to the palace and wait for me."

"I cannot go back right now. I left the palace with three thousand men to go hunting. How can I return with no meat?"

Sun Wukong flew into the sky and called for the local spirit and the mountain god. He told them that he needed them to put several hundred animals by the side of the road. The local spirit and mountain god did as they were told. Sun Wukong returned to the monastery and told the prince, "Your highness, you can go back. You will find plenty of animals by the side of the road. You can pick them up and bring them to the palace."

The prince kowtowed to Sun Wukong. Then he walked out of the monastery and told the soldiers that the hunt was finished and it was time to return to the palace. As they traveled on the road they saw the animals lying on the ground, and picked them all up. Then they returned to the palace.

That night, Sun Wukong was resting in his bed. Suddenly he jumped up and ran over to wake up Tangseng. "Master, wake up!"

"What is it," asked Tangseng.

"We have a problem. Of course, we can go back to the palace and try to seize the demon king, or even kill him. But if we say that the demon killed the true king, nobody will believe us. We have to go back to the well and find the body of the true king."

"Good idea. Go get Zhu Bajie to help you."

Sun Wukong walked over to Zhu's bed. "Wake up! Wake up!" he shouted in Zhu's ear.

"Let me sleep," said Zhu, "we have to travel tomorrow."

"You must help me tonight. I have to fight the demon king tomorrow. He is very powerful. I must find his treasure and steal it, to take away his power. I need you to help me steal the treasure."

Zhu was not happy about this. He said, "All right, but I want to keep the treasure. When we are traveling, I will probably get very hungry. I can sell the treasure and get some food." Sun Wukong agreed to this. So Zhu got out of bed and followed Sun Wukong. They used Sun Wukong's cloud somersault to fly back to the city. Then they walked to the palace and jumped over the high stone wall. They were in the garden. They arrived at the well where the king had died. It had a large tree growing on top of it.

Zhu used his rake to push over the tree. Then he used his snout to push away dirt, until he came to a large flat stone that covered the well. Sun Wukong helped Zhu push the flat stone to the side. They looked into the well. They saw light coming from the bottom of the well. "Look!" said Zhu, "I see treasure at the bottom of the well! But how can we get to the bottom? We have no ropes."

"No problem," said Sun Wukong. "Give me your clothes." Then Sun Wukong changed his iron rod into a very long wooden pole, long enough to reach the bottom of the well. He tied Zhu's clothes around the end of the pole, tied Zhu to his clothes, and lowered Zhu down into the well.

Down, down, down went Zhu. His foot touched the water. "Stop!" he cried. But Sun Wukong pushed down on the pole, and Zhu fell into the water.

"I think the treasure is at the bottom of the water," said Sun Wukong. "Swim down and see if you can find it." Zhu swam down. He opened his eyes and looked around. He saw a sign saying, "Water Crystal Palace." Zhu thought this was strange. How could there be a palace at the bottom of a well? He did not know that the Well Dragon King lived here.

The Well Dragon King heard Zhu arrive. He came out of his crystal palace to meet Zhu. He said, "Hello my friend. We do not get many visitors here. Are you the Marshal of Heaven?"

Zhu replied, "Yes, I was the Marshal of Heaven. I am now a disciple of Tangseng, who is journeying to the Western Heaven in search of Buddha's books. My elder brother is Sun Wukong. He is above us right now, waiting for me to return. He asked me to get a treasure and bring it back to him. Do you have it?"

"I have no treasures. I am not like the other dragon kings who live in the ocean or in large rivers. They have a lot of treasure. But I live in this well. It is very small, and I only rarely see the sun or the moon. I certainly don't have any treasure for you."

"You have nothing?"

"Well, I do have one thing. Come with me." The dragon king swam into another room, and Zhu followed. They came to the body of a dead king. The dead king was still wearing a rising-to-heaven hat on his head. He wore a red robe with flying dragons, tied with a green belt. On his feet were boots embroidered with white clouds. "Here is your treasure," said the dragon king.

"Treasure? Before I met the Tang monk I used to eat people. I call this food!"

"Please do not think of this as food. This is the body of the king of Black Rooster Kingdom. He arrived here several years ago. I have used my small magic to keep his body from decaying. You may bring this body back to Sun Wukong. Perhaps the monkey can bring him back to life."

Zhu picked up the body of the dead king and swam back

to the wooden pole. He called up to Sun Wukong, "I have your treasure. Pull me up!" Sun Wukong pulled the wooden pole up, bringing out Zhu and the body. All three of them fell onto the ground.

"All right, now carry the body back to Master," said Sun Wukong. Zhu was not happy to be carrying a dead body, but Sun Wukong took out his iron rod and waved it at Zhu. Then Zhu picked up the dead body and they walked out of the garden. Sun Wukong grabbed Zhu, and using his cloud somersault they flew back to the monastery.

When they arrived at the monastery, they walked into the main hall where Tangseng waited for them. Zhu dropped the body on the floor and said, "Here is Old Monkey's grandfather." Sun Wukong laughed and said, "That's not my grandfather, you idiot. That is the king of Black Rooster Kingdom."

Tangseng said, "Yes, and he has been dead for several years. Wukong, can you bring him back to life?"

Sun Wukong replied, "I don't think so. When someone dies, they go to the Underworld for some time, to pay for all the bad things they did during life. If they were a good person this can take a few weeks. Or it can take a few years. Then they return to life in a new body. But this man has been dead for several years. How can I bring him back?"

"Think. You must find a way."

Sun Wukong thought for a couple of minutes. Then he said, "OK, I have an idea. I will go to the Underworld to talk with the Ten Kings of the Underworld. I will find out which king has the soul of this dead man. Then I will bring the soul back and put it into this dead body."

Zhu heard this. He said, "Ah monkey, you need a better plan than that! You told me that you could bring this man back to life without needing to go to the Underworld." This was not true, of course. But Tangseng believed it. He began to say the tight headband spell. The headband on Sun Wukong's head began to tighten, and Sun Wukong began to get a terrible pain in his head.

Chapter 39

"Stop, Master, stop! All right, I have a better idea. I will use my cloud somersault to go up to the thirty-third heaven, to the home of the great Laozi. He has magic pills that can bring a person back to life. I will get one of these pills and give it to the dead king."

Tangseng agreed to this. So Sun Wukong used his cloud somersault and flew up to the South Heaven Gate. He went through the gate, then he flew up to the thirty-third heaven and arrived at the home of Laozi. He entered. He saw Laozi with two or three young men, making magic pills. Laozi looked up and saw Sun Wukong. He said to the young men, "Be careful, here is the troublesome monkey who stole our magic pills. And later, he gave me a hard time when I asked for my five treasures back. Why have you returned to my home, monkey?"

"Sir, if you remember correctly, I did not give you any trouble when you asked for your five treasures. I gave them to you. Then my master and I continued on our journey west. We came to Black Rooster Kingdom. We learned that the king had been killed by a demon. The demon took the form of the king and now sits on the king's throne. Two nights ago, the ghost of the dead king came to visit my master in a dream. He asked my master for help. Now we want to bring the king back to life so he can take back the throne."

"And what do you want from me?"

"I need a thousand of your magic pills."

"What, do you think you can eat these pills like rice?"

"All right," laughed Sun Wukong. "Then just give me a hundred pills."

"I don't have any pills for you."

"All right, how about ten pills?"

"I told you, I don't have any."

"All right, then I will just go somewhere else to get them." Sun Wukong turned to go. But Laozi started to worry that Sun Wukong might return later and steal his magic pills.

"You troublemaking monkey," he said, "I will give you one pill. Now take it and never come back." Sun Wukong took the pill, and flew back down to the monastery. He walked over to the body of the dead king. He used both of his hands to pull open the king's mouth. Then he put the magic pill in the king's mouth, and then he poured in a cup of cold water into his mouth. Sun Wukong,

Tangseng, Zhu and Sha all waited to see what would happen. They waited for almost a half hour. Then the king's belly started making loud sounds.

They continued to wait, but the king did not start breathing. "You have to help him," said Tangseng. Sun Wukong opened the king's mouth again, and blew hard into it. Sun Wukong's breath traveled throughout the king's body and awakened it. The king took a deep breath and sat up.

"Thank you!" said the king to Tangseng. "I remember visiting you in your dream. I asked you for help, but I never expected to wake up in the land of the living again!" Tangseng helped the king to stand up. Then they all went into the main hall. The monks gave them breakfast. Then the monks removed the king's old and dirty clothing and gave him some clean monk's clothing to wear. Sun Wukong told the monks to clean the king's old clothing and bring it to the palace later in the day.

After breakfast, they left the monastery and walked towards the palace. The king was dressed in monk's clothing and was carrying some luggage, looking just like a servant or worker.

They walked forty miles and arrived at the palace. Sun Wukong walked up to the palace gate. He said to a guard, "We are monks sent by the Tang Emperor to journey to the west. We would like to visit with your king." The guard told this to the demon king. The demon king told the guard to bring the visitors into the throne room.

The four travelers and the true king entered the throne

room. The true king looked around at the throne room and began to cry quietly. Sun Wukong said into his ear, "Please don't cry, Your Majesty. We don't want the demon king to know who you are. Soon my iron rod will do its work, and the demon king will be killed. Don't worry!"

When they got near the throne, four of them stopped walking. But Sun Wukong kept walking until he stood right in front of the demon king. He did not kowtow, he did not bow.

The demon king was angry that this visitor did not bow to him. "Where do you come from?" he asked.

"I am from the great Tang nation, traveling to the west to find Buddha's books and bring them back. We arrived here and wish to greet you."

The king was angry. He said, "So, you are from the East? I don't care about you or your kingdom. When you are in my throne room, you must bow to me. Guards, seize all of them!" The guards all ran forward to seize Sun Wukong, but he just pointed his finger at them, said some magic words, and the guards all froze.

The demon king saw this. He jumped up and wanted to fight Sun Wukong. But the prince put his hand on the demon king's arm. The prince was afraid that the demon king would hurt Tangseng. He did not know that Sun Wukong had strong magic and an iron rod. The prince said to the king, "Father, please let go of your anger. I have heard of this Tang monk who was sent by his emperor to seek the Buddha's books in the west. You are strong, but the Tang Empire is very large and very strong. If you harm this Tang monk, the Tang emperor will send a large army. We will not be able to fight them, and the Tang Emperor will punish our kingdom."

The king turned to Sun Wukong again, and said, "When did you leave the land of the east? Why did the Tang Emperor send you to the west?"

Sun Wukong told the demon king everything about their journey. He told him about his own birth on Flower Fruit Mountain, how the Buddha put him under a mountain for five hundred years, and how he met Tangseng and became his disciple. Then he told the demon king the life stories of Tangseng, Zhu Bajie and Sha Wujing. Finally he pointed to the true king and said, "And yesterday as we passed the Precious Grove Monastery, we picked up this worker."

The demon king looked carefully at the true king. "I don't like him. You say he is a monk? Let me see his papers."

"Your Highness," replied Sun Wukong, "this man cannot hear, and he cannot speak. Several years ago, he lived in your kingdom. No rain came for three years. The people were hungry. They prayed to heaven, but no help came. Then a Daoist monk arrived and brought rain. But the monk took this man's life by throwing him into a well. I brought him back to life. Now I say this to you and everyone else in this room: you are a demon, and this man is the true king of Black Rooster Kingdom!"

The demon king ran over to one of his frozen guards. He grabbed the guard's sword. Then he flew up into the air.

Sun Wukong followed him, shouting, "Demon, where do you think you are going. Old Monkey is coming for you!"

The demon replied, "Monkey, go away. Why are you interested in the matters of this kingdom? This is not your problem."

Sun Wukong laughed. "You lawless demon, do you think you should be king here? This kingdom is not yours. Now prepare to meet my rod!"

They began to fight. The demon could not hope to win against Sun Wukong. He flew away, back down to the palace, and changed his appearance so he looked exactly like Tangseng. Sun Wukong returned to the palace and prepared to kill the demon with his rod.

"Don't hit me, Sun Wukong. It's me, your master Tangseng!" said the demon. Sun Wukong turned to hit the other man.

"Don't hit me, Sun Wukong. It's me, your master Tangseng!" said Tangseng.

Sun Wukong said to Zhu and Sha, "Which one of these is our master and which is the demon?" But Zhu and Sha did not know, because they did not see the demon come back and take the form of Tangseng.

Sun Wukong did not know what to do. He looked at one Tangseng, then the other. They looked exactly the same. "What should I do?" he said to Zhu.

"You are very stupid, my elder brother. This is easy," replied Zhu. "Put one Tangseng on the left side of the room with Sha. Put the other Tangseng on the right side of the room with me. Tell them both to recite the secret scripture that was given to Tangseng by the bodhisattva Guanyin. Only our master knows this scripture."

"All right." Sun Wukong put the two Tangsengs on different sides of the throne room, and told them both to recite the secret scripture. One of them was standing next to Sha, he started saying the scripture quietly. The other one was standing next to Zhu, he started mumbling. Zhu pointed to him and said, "Elder brother, this one is mumbling. He is the demon!"

The demon flew up into the air again. Sun Wukong followed. He was about to kill the demon with one blow from his iron rod. But just then, a loud voice came from a colored cloud in the northeast. The voice said, "Sun Wukong, don't do it!" Sun Wukong looked at the cloud, and saw the bodhisattva Wenshu. He bowed to Wenshu.

Wenshu said, "I am here to put away this demon for you. Look!" Wenshu held a mirror in his hand. Sun Wukong used the mirror to look at the demon. He saw the demon's true form: big red eyes, big head, a green body covered with green hair, four large feet, two large ears, and a long tail. He was a lion!

Sun Wukong said, "Bodhisattva, I know this green-haired lion. This is the lion who is your servant. How did he escape and come here to cause trouble in this kingdom?"

Wenshu replied, "He did not escape. I sent him here. A long time ago the king of Black Rooster Kingdom was a good man. The Buddha sent me here to lead him to the Western Heaven. I took the form of a poor monk and asked him for food. He did not like that, so he told his guards to tie me up with rope and throw me into the deep water that surrounds the palace. I was under the water for three days, then the Six Gods of Darkness saw me and helped me to escape. The Buddha sent this lion to punish the king by throwing him into a well and leaving him there for three years. Now you have come, and his punishment is finished."

"That's a nice story," said Sun Wukong, "and I am happy that you punished the king. But how many people were harmed by this? How many died?"

"Nobody has been harmed and nobody has died. The demon king has brought good weather and plentiful food to the kingdom."

"And what of the king's wives? Didn't the demon sleep with them for three years, breaking the law of Heaven?"

"No. He may look like a powerful lion, but he is a gelding. No laws were broken with the king's wives."

Zhu laughed at this and said, "So, he has a red nose but he does not drink, eh?"

"All right," said Sun Wukong. "Take him away." The bodhisattva Wenshu recited a spell, and the demon changed into his original lion form. Wenshu and the lion flew up to Heaven.

Sun Wukong returned to the throne room. All the ministers kowtowed to the true king and to Tangseng and to the disciples. Four monks arrived from the monastery, bringing the true king's clean clothes. The king took off his monk's clothing. He put on his red robe with flying dragons and tied it with his green belt. Then he put on his boots and his hat. The king looked at the throne for a minute, but he did not sit on it. He said to Tangseng and the disciples, "My friends, I have been dead for three years. I do not feel like a king anymore. One of you should sit on the throne instead of me."

Sun Wukong said, "Your Majesty, why would I want to be a king? A king has too many things to worry about. I like the simple life of a disciple." Tangseng of course said no, and so did Zhu and Sha. So finally, the king walked to the throne, sat on it, and said, "All right. I am the king again."

Tangseng smiled and said, "I think you will be a very good king."

The king asked them to stay overnight in the palace, and that evening he held a great feast. In the morning the Tang monk and his disciples all said goodbye to the king, the queen, and the prince. They walked out of the palace and continued on their journey to the west.

Proper Nouns

These are all the Chinese proper nouns used in this book.

Pinyin	Chinese	English
Bǎolín Sì	寶林寺	Precious Grove Temple
Cháng'ān	長安	Chang'an, a city
Guāngmíng Liùshén	光明六神	Six Gods of Light, immortals
Guānyīn	觀音	Guanyin, a bodhisattva
Hēi Gōngjī Wángguó	黑公雞王國	Black Rooster Kingdom
Hēi'àn Liùshén	黑暗六神	Six Gods of Darkness, immortals
Huā Guǒ Shān	花果山	Flower Fruit Mountain
Jǐng Lóngwáng	井龍王	Well Dragon King, an immortal
Shā (Wújìng)	沙 (悟靜)	Sha Wujing, Tangseng's junior disciple
Shuǐjīng Gōng	水晶宮	Water Crystal Palace
Sūn Wùkōng	孫悟空	Sun Wukong, Tangseng's senior disciple
Tài Shān	泰山	Mount Tai
Tàishàng Lǎojūn	太上老君	Laozi, an immortal
Táng Huángdì	唐皇帝	Tang Emperor
Tángsēng	唐僧	Tangseng, a Buddhist monk
Tiān Péng Yuánshuài	天蓬元帥	Marshal of Heaven, Zhu's title in a previous life
Wénshū	文殊	Wenshu, a bodhisattva
Yánluó Wáng	閻羅王	Yama, King of the Underworld, an immortal
Yìndù	印度	India
Zhū (Bājiè)	豬 (八戒)	Zhu Bajie, Tangseng's middle disciple

Glossary

These are all the Chinese words (other than proper nouns) used in this book.

Pinyin	Chinese	English
a	啊	ah, oh, what
ài	愛	love
ānjìng	安靜	be quiet
ba	吧	(indicates assumption or suggestion)
bá	拔	to pull
bǎ	把	(preposition introducing the object of a verb)
bā	八	eight
bàba	爸爸	father
bái	白	white
bǎi	百	hundred
bǎi fēn zhī	百分之	percentage
bàn	半	half
bànfǎ	辦法	method
bàng	棒	rod, stick, wonderful
bǎng	綁	to tie up
bāng (zhù)	幫 (助)	to help
bànyè	半夜	midnight
bǎobèi	寶貝	treasure, baby
bǎohù	保護	to protect
bǎozuò	寶座	throne
bàzi	耙子	rake
bèi	被	(particle before passive verb)
bēi (zi)	杯 (子)	cup
bèn	笨	stupid, a fool
běnlái	本來	originally

bǐ	比	compared to, than
biàn	變	to change
biān	邊	side
biànchéng	變成	to become
bié	別	do not
biéde	別的	other
bīng	冰	ice
bìxià	陛下	Your Majesty
bìxū	必須	must, have to
bízi	鼻子	nose
bù	不	no, not, do not
cái	才	only
cǎi	彩	color
cáinéng	才能	can only, ability
cǎo	草	grass, straw
céng	層	layer, (measure word for a layered object)
cháng	長	long
chǎng	場	(measure word for public events)
chángduǎn	長短	length
chéng (shì)	城（市）	city
chéng (wéi)	成（為）	to become
chéngfá	懲罰	punishment
chī	吃	to eat
chōng	沖	to rise up, to rush, to wash out
chǒu	醜	ugly
chū	出	out
chuán	傳	to pass on, to transmit
chuān	穿	to wear
chuān shàng	穿上	to put on
chuáng	床	bed

chuāng	窗	window
chuānguò	穿過	to pass through
chúfáng	廚房	kitchen
chuī	吹	to blow
chūntiān	春天	spring
chūshēng	出生	born
cì	次	(next in a sequence), (measure word for time)
cóng	從	from
cùn	寸	Chinese inch
cuò	錯	wrong
dà	大	big
dǎ	打	to hit, to play
dà hǎn	大喊	to shout
dàchén	大臣	minister
dài	帶	to carry, to lead
dài	戴	to wear
dǎkāi	打開	turn on
dǎliè	打獵	hunt
dàn (shì)	但（是）	but
dǎn xiǎo	膽小	timid
dān yào	丹藥	elixir
dāng	當	when
dāngrán	當然	of course
dānxīn	擔心	to worry
dào	道	path, way, Dao, to say, (measure word for lines, orders)
dào	倒	to pull
dào	到	to, until
dǎo	倒	to fall
dàotián	稻田	paddy
dǎsuàn	打算	intend

de	地	(adverbial particle)
de	的	of
dé (dào)	得（到）	to get
dehuà	的話	if
děng	等	to wait
dì	第	(prefix before a number)
dì	地	land, ground, earth
dǐ	底	bottom
dī	低	low
diàn	殿	hall
diǎn	點	point, hour, a little
diǎn tóu	點頭	to nod
diànxià	殿下	Your Highness
diào	掉	to fall, to fall out, to drop
diāoxiàng	雕像	statue
dìfāng	地方	local, place
dìguó	帝國	empire
dǐng	頂	roof, top
dītóu	低頭	head down
dǐxia	底下	under
dìyù	地獄	underworld
dòng	棟	(measure word for buildings, houses)
dòng	凍	freeze
dōng	東	east
dōng (tiān)	冬（天）	winter
dōngběi	東北	northeast
dòngwù	動物	animal
dōngxi	東西	thing
dōu	都	all
dú	讀	to read

dǔ	堵	(measure word for walls)
duàn	段	(measure word for sections)
duì	對	correct, towards someone
duī	堆	(measure word for piles, problems, clothing, …)
duìbùqǐ	對不起	sorry
dùn	頓	(measure word for non-repeating actions)
duǒ	躲	to hide
duō	多	many
duōme	多麼	how
duōshǎo	多少	how many?
dùzi	肚子	belly
è	惡	evil
è	餓	hungry
èr	二	two
ěr (duo)	耳(朵)	ear
ér shì	而是	but
érzi	兒子	son
fà	髮	hair
fǎ	法	law
fā (chū)	發(出)	to send out
fādǒu	發抖	to tremble or shiver
fàn	飯	cooked rice
fàng	放	to put, to let out
fang (zi)	房(子)	house
fángjiān	房間	room
fāngxiàng	方向	direction
fāngzhàng	方丈	abbot
fāshēng	發生	occur
fāxiàn	發現	find
fēi	飛	to fly

fēicháng	非常	very much
fēng	瘋	crazy
fēng	風	wind
fēnzhōng	分鐘	minute
fó	佛	Buddha
fó yǔ	佛語	"Buddha's verse", the Heart Sutra
fójiào	佛教	Buddhism
fózǔ	佛祖	Buddhist teacher
fù	父	father
fùjìn	附近	nearby
fǔlàn	腐爛	decay
gài	蓋	cover
gāi	該	ought to
gǎn (dào)	感 (到)	to feel
gān (zi)	桿 (子)	rod, pole
gǎn xìngqù	感興趣	interested in
gāng	鋼	steel
gāng (cái)	剛 (才)	just, just a moment ago
gānhàn	乾旱	drought
gānjìng	乾淨	clean
gāo	高	tall, high
gàosù	告訴	to tell
gāoxìng	高興	happy
gè	個	(measure word, generic)
gēge	哥哥	older brother
gěi	給	to give
gēn	根	(measure word for long thin things)
gēn	跟	with, to follow
gēng	更	watch (2-hour period)
gèng (duō)	更 (多)	more
gèng hǎo	更好	better

gōngdiàn	宮殿	palace
gōngrén	工人	worker
gōngzuò	工作	work, job
gǔ	古	ancient
guān	關	to turn off, to close, to lock up
guāng	光	light
guānxīn	關心	concern
guānyú	關於	about
guǐ (guài)	鬼 (怪)	ghost
guò	過	to pass, (after verb to indicate past tense)
guó (jiā)	國 (家)	country
guótǔ	國土	land
guówáng	國王	king
guòyè	過夜	to stay overnight
gùshì	故事	story
hái	還	also
hǎi	海	sea
hàipà	害怕	afraid
háishì	還是	still is
háizi	孩子	child
hǎn (jiào)	喊 (叫)	to shout
hǎo	好	good
hé	和	and, with
hē	喝	to drink
hé (zi)	盒 (子)	box
hēi (sè)	黑色	black
hēi'àn	黑暗	dark
hěn	很	very
héshang	和尚	monk
hóng (sè)	紅 (色)	red

hòu	後	after, back, behind
hóu (zi)	猴（子）	monkey
hòulái	後來	later
huà	畫	to paint
huà	話	word, speak
huài	壞	bad
huán	還	to return
huǎng	謊	to lie
huáng (sè)	黃（色）	yellow
huángdì	皇帝	emperor
huānyíng	歡迎	welcome
huāyuán	花園	garden
huí	回	to return
huì	會	to be able to
huī	灰	gray, dust
huī	揮	to swat
huídá	回答	reply
huó	活	to live
huò (zhě)	或（者）	or
huó zhe	活著	alive
hūxī	呼吸	breathe
jí	極	very, utmost
jǐ	幾	several
jì (dé)	記（得）	to remember
jiā	家	family, home
jiàn	件	(measure word for clothing, matters)
Jiàn	箭	arrow
jiàn	劍	sword
jiān	間	(measure word for room)
jiān	尖	pointed, tip

jiān	肩	shoulder
jiàn (miàn)	見 (面)	to see, to meet
jiǎndān	簡單	simple
jiǎng	講	to speak
jiào	叫	to call, to yell
jiǎo	腳	foot
jiāo	教	to teach
jiào xǐng	叫醒	to wake someone up
jíbié	級別	level or rank
jiějué	解決	to solve, settle, resolve
jiéshù	結束	end, finish
jìhuà	計劃	plan
jìn	近	near
jìn	進	to enter
jǐn	緊	tight, close
jīn (sè)	金 (色)	golden
jīn (zi)	金 (子)	gold
jīndǒu yún	筋斗雲	cloud somersault
jìng	靜	quiet
jǐng	井	well
jīngcháng	經常	often
jīngguò	經過	after, through
jìngzi	鏡子	mirror
jīntiān	今天	today
jiù	就	just, right now
jiù	舊	old
jiǔ	久	long time
jiǔ	酒	wine, liquor
jiǔdiàn	酒店	inn, hotel
jìxù	繼續	to continue
juédé	覺得	to feel

jūgōng	鞠躬	to bow down
jūnduì	軍隊	army
jǔxíng	舉行	to hold
kāishǐ	開始	to start
kāixīn	開心	happy
kàn	看	to look
kàn chéng shì	看成是	regarded as
kànqǐlái	看起來	looks like
kè	課	class, lesson
kē	顆	(measure word for small objects)
kē	棵	(measure word for trees, vegetables, some fruits)
kělián	可憐	pathetic
kěnéng	可能	maybe
kěpà	可怕	frightening
kèrén	客人	guest
kěyǐ	可以	can
kǒu	口	mouth
kòutóu	叩頭	kowtow
kū	哭	to cry
kuài	塊	(measure word for chunks, pieces)
kuài	快	fast
kùfáng	庫房	warehouse
lā	拉	to pull down
lái	來	to come
láizì	來自	from
lán (sè)	藍（色）	blue
láng	狼	wolf
lǎo	老	old
lǎoshī	老師	teacher
le	了	(indicates completion)

lèi	累	tired
lěng	冷	cold
lí	離	from
lì	粒	(measure word for small grains)
lǐ	里	a Chinese mile (500 meters)
li (miàn)	裡（面）	inside
liǎn	臉	face
liàng	亮	bright
liǎng	兩	two
lìhài	厲害	sharp, intense, ferocious
líkāi	離開	to go away
lìng	另	another
línghún	靈魂	soul
liù	六	six
liú (xià)	留（下）	to stay
lóng	龍	dragon
lù	路	road
lǜ (sè)	綠（色）	green
lún	輪	wheel
lǚtú	旅途	journey
ma	嗎	(indicates a question)
mǎ	馬	horse
máfan	麻煩	trouble
mài	賣	to sell
māma	媽媽	mother
màn	慢	slow
mǎnyì	滿意	satisfy
máo	毛	hair
mào (zi)	帽（子）	hat
mǎshàng	馬上	immediately
měi	每	every

méi (yǒu)	沒(有)	not, don't have
měilì	美麗	beautiful
men	們	(indicates plural)
mén	門	door, gate
mèng	夢	dream
ménkǒu	門口	doorway
miàn	面	side, surface, noodles, (measure word for flat things)
mǐfàn	米飯	cooked rice
mìmi	秘密	secret
míng	名	(measure word for people)
míng (liàng)	明(亮)	bright
míngtiān	明天	tomorrow
mó (fǎ)	魔(法)	magic
mó(lì)	魔(力)	magic
móguǐ	魔鬼	demon
mù (tou)	木(頭)	wood
ná	拿	to take
nà	那	that
ná qǐ	拿起	to pick up
nà'er	那兒	there
nǎ'er	哪兒	where?
nàlǐ	那裡	there
nǎlǐ	哪裡	where?
nàme	那麼	so then
nán	難	difficult
nán	南	south
ne	呢	(indicates question)
néng	能	can
nǐ	你	you
nián	年	year

niàn	念	to read
niànfó	念佛	to practice Buddhism
niánqīng	年輕	young
nín	您	you (respectful)
pà	怕	afraid
pái	牌	sign, placard
páng (biān)	旁(邊)	beside
pǎo	跑	to run
pèng	碰	to touch
péngyǒu	朋友	friend
piàn	片	(measure word for flat objects)
piàoliang	漂亮	beautiful
píng	平	flat
púrén	僕人	servant
púsà	菩薩	bodhisattva, buddha
qí	騎	to ride
qì	氣	gas, air, breath
qián	前	in front
qián	錢	money
qiān	千	thousand
qiáng	牆	wall
qiáng (dà)	強(大)	strong, powerful
qiánwǎng	前往	go to
qídǎo	祈禱	prayer
qíguài	奇怪	strange
qǐlái	起來	(after verb, indicates start of an action)
qīn'ài de	親愛的	dear
qǐng	請	please
qǐshēn	起身	get up
qítā	其他	other

qiú	球	ball
qiū (tiān)	秋 (天)	autumn
qīzi	妻子	wife
qù	去	to go
qǔ	取	to take
ràng	讓	to let, to cause
ránhòu	然後	then
rén	人	person, people
rèn chū	認出	to recognize
rēng	扔	to throw
rènhé	任何	any
rènshí	認識	to understand
rènwéi	認為	to believe
rènzhēn	認真	serious
rì (zi)	日 (子)	day, days of life
róngyì	容易	easy
ròu	肉	meat, flesh
rù	入	into
rúguǒ	如果	if
sān	三	three
sǎo	打掃	to clean
sēng (rén)	僧 (人)	monk
shā	殺	to kill
shàn	扇	(measure word for windows, doors)
shān	山	mountain
shàng	上	on, up
shàngchuáng	上床	go to bed
shānghài	傷害	to hurt
shāngxīn	傷心	sad
shāoxiāng	燒香	burn incense
shè	射	to shoot, to emit

shēn	身	body
shēn	深	deep
shén (xiān)	神 (仙)	spirit, god
shèng	聖	sage
shēng	生	give birth, life
shēng	聲	sound
shéng (zi)	繩 (子)	rope
shēnghuó	生活	life, to live
shēngmìng	生命	life
shēngqì	生氣	angry
shēngwù	生物	animal, creature
shēngyīn	聲音	sound
shēngzhǎng	生長	grow
shénme	什麼	what
shénqí	神奇	magical
shēnshàng	身上	on one's body
shēntǐ	身體	body
shí	十	ten
shì	是	is, yes
shì	試	to taste, to try
shí (hòu)	時 (候)	time, moment, period
shì (qing)	事 (情)	thing
shí (tou)	石 (頭)	stone
shìbīng	士兵	soldier
shīfu	師父	master
shíjiān	時間	time, period
shìjiè	世界	world
shītǐ	屍體	dead body
shìwèi	侍衛	guard
shíwù	食物	food
shīzi	獅子	lion

shǒu	手	hand
shǒubì	手臂	arm
shòudào	受到	to suffer
shòushāng	受傷	injured
shǒuzhǐ	手指	finger
shù	樹	tree
shū	書	book
shuāng	雙	a pair
shūcài	蔬菜	vegetables
shuí	誰	who
shuì	睡	to sleep
shuǐ	水	water
shuìjiào	睡覺	to go to bed
shuō (huà)	說（話）	to speak
sì	四	four
sǐ	死	dead
sìmiào	寺廟	temple
sìzhōu	四周	all around
sòng	送	to send
suǒyǐ	所以	and so
suǒyǒu	所有	all
sùshí	素食	vegetarian food
tā	他	he, him
tā	它	it
tā	她	she, her
tái	抬	to lift
tài	太	too
tàiyáng	太陽	sun
tàizǐ	太子	prince
tán	談	to talk
tán zòu	彈奏	to play

táo (zǒu)	逃（走）	to escape
tiān	天	day, sky
tiānkōng	天空	sky
tiānqì	天氣	weather
tiānshàng	天上	heaven, on the sky
tiāntáng	天堂	heaven
tiáo	條	(measure word for narrow, flexible things)
tiào	跳	to jump
tiě	鐵	iron
tīng	聽	to listen
tíng (zhǐ)	停（止）	stop
tīng shuō	聽說	it is said that
tóng	同	same
tòng (kǔ)	痛（苦）	suffering
tóngyì	同意	to agree
tóu	頭	head
tōu	偷	to steal
tóufà	頭髮	hair
tǔ	土	dirt, earth
tù (zi)	兔（子）	rabbit
túdì	徒弟	apprentice
tǔdì	土地	land
tuī	推	to push
tuō	脫	to take off (clothes)
tūrán	突然	suddenly
wài	外	outside
wán	玩	to play
wàn	萬	ten thousand
wǎn	晚	late, night
wánchéng	完成	to complete

wǎnfàn	晚飯	dinner
wáng	王	king
wǎng	往	to
wàng (jì)	忘(記)	to forget
wángguó	王國	kingdom
wánghòu	王後	queen
wǎnshàng	晚上	evening
wèi	位	(measure word for people, polite)
wèi	為	for
wěi (bā)	尾(巴)	tail
wěidà	偉大	great
wèilái	未來	future
wèishénme	為什麼	why
wèn	問	to ask
wènhǎo	問好	say hello
wēnnuǎn	溫暖	warm
wénshū	文書	written document
wèntí	問題	question, problem
wǒ	我	I, me
wú	無	no, without
wù	霧	fog
wǔ	五	five
wúfǎwútiān	無法無天	lawless
xǐ	洗	to wash
xī	西	west
xià	下	down, under
xiān	先	first
xiàng	像	like, to resemble
xiàng	向	towards
xiǎng	響	loud
xiǎng	想	to want, to miss, to think of

xiǎngqǐ	想起	to recall
xiāngxìn	相信	to believe, to trust
xiānshēng	先生	mister
xiànzài	現在	now
xiào	笑	to laugh
xiǎo	小	small
xiǎoshí	小時	hour
xiǎoshuì	小睡	nap
xiǎotōu	小偷	thief
xiǎoxīn	小心	to be careful
xiàtiān	夏天	summer
xié	鞋	shoes
xiě	寫	to write
xiē	些	some
xièxie	謝謝	thank you
xǐhuān	喜歡	to like
xīn	心	heart, mind
xīn	新	new
xíng	行	to travel, to walk, OK
xǐng	醒	to wake up
xīng	星	star
xìngfú	幸福	happy
xíngli	行李	baggage
xīngqí	星期	week
xiōngdì	兄弟	brothers
xiù	繡	embroidered
xiūxi	休息	to rest
xīwàng	希望	hope
xǔduō	許多	many
xuě	血	blood
xuě	雪	snow

xué (xí)	學 (習)	to learn
xuēzi	靴子	boots
xūyào	需要	to need
yǎn (jīng)	眼 (睛)	eye
yāngē	閹割	castration
yàngzi	樣子	appearance
yànhuì	宴會	banquet
yào	要	to want
yàofàn	要飯	to beg for food
yāoguài	妖怪	monster
yè	夜	night
yě	也	also
yéye	爺爺	grandfather
yī	一	one
yìdiǎn ('er)	一點 (兒)	a little
yīfu	衣服	clothes
yǐhòu	以後	after
yǐjīng	已經	already
yíng	贏	win
yīnggāi	應該	should
yīnwèi	因為	because
yīnyuè	音樂	music
yìqǐ	一起	together
yǐqián	以前	before
yìsi	意思	meaning
yǐwéi	以為	to think, to believe
yíxià	一下	a bit
yíyàng	一樣	same
yìzhí	一直	always, continuously
yòng	用	to use
yònglì	用力	use effort, use strength

yóu	遊	to swim, to tour
yòu	又	also
yòu	右	right (direction)
yǒu	有	to have
yú	魚	fish
yù	玉	jade
yǔ	語	language
yǔ	雨	rain
yù (dào)	遇 (到)	encounter, meet
yuǎn	遠	far
yuánliàng	原諒	to forgive
yuànyì	願意	willing
yuèliang	月亮	moon
yún	雲	cloud
zài	再	again
zài	在	in, at
zàijiàn	再見	goodbye
zāng	臟	dirty
zào	造	to make
zào chéng	造成	cause
zǎofàn	早飯	breakfast
zǎoshàng	早上	morning
zěnme	怎麼	how
zěnme bàn	怎麼辦	how to do
zhàn	站	to stand
zhàndòu	戰鬥	to fight
zhǎng	長	to grow
zhāng	章	chapter
zhāng (kāi)	張 (開)	open
zhàngfū	丈夫	husband
zhànshì	戰士	warrior

zhànzhēng	戰爭	war
zhào	照	shine, according to
zhǎo	找	to search for
zhào liàng	照亮	illuminate
zhe	著	(indicates action in progress)
zhè	這	this
zhèlǐ	這裡	here
zhème	這麼	such
zhèn	陣	(measure word for short-duration events)
zhēn (de)	真（的）	really!
zhèng (zài)	正（在）	(-ing)
zhēnglùn	爭論	to argue
zhēnxiàng	真相	the truth
zhèyàng	這樣	such
zhí	直	straight
zhǐ	只	only
zhǐ	指	to point at
zhī	隻	(measure word for animals)
zhī	支	(measure word for stick-like things, armies, songs, flowers)
zhīdào	知道	to know something
zhǐyào	只要	as long as
zhǐyǒu	只有	only
zhǒng	種	(measure word for kinds of creatures, things, plants)
zhōng	中	in
zhòng (dì)	種（地）	farming
zhōngjiān	中間	middle
zhòngyào	重要	important
zhù	住	to live, to hold, (verb complement)
zhù (zi)	柱（子）	pillar

zhuā	抓	to arrest, to grab
zhuǎn	轉	to turn
zhuǎn shēn	轉身	turn around
zhǔnbèi	準備	prepare
zhuō (zi)	桌(子)	table
zhǔrén	主人	host, master
zhùyì	注意	to pay attention
zhǔyì	主意	idea
zì	字	written character
zìjǐ	自己	oneself
zǒu	走	to go, to walk
zuǐ	嘴	mouth
zuìhòu	最後	at last, final
zuìjìn	最近	recently
zūn	尊	(measure word for gods, goddesses, statues, cannons)
zūn (jìng)	尊(敬)	respect
zuò	座	(measure word for a large structure)
zuò	做	to do
zuò	坐	to sit
zuǒ	左	left (direction)
zuó wǎn	昨晚	last night
zuótiān	昨天	yesterday
zuǒyòu	左右	approximately

About the Authors

Jeff Pepper (author) is President and CEO of Imagin8 Press, and has written dozens of books about Chinese language and culture. Over his thirty-five year career he has founded and led several successful computer software firms, including one that became a publicly traded company. He's authored two software related books and was awarded three U.S. patents.

Dr. Xiao Hui Wang (translator) has an M.S. in Information Science, an M.D. in Medicine, a Ph.D. in Neurobiology and Neuroscience, and 25 years experience in academic and clinical research. She has taught Chinese for over 10 years and has extensive experience in translating Chinese to English and English to Chinese.

Made in the USA
Middletown, DE
06 July 2024

56890024R00106